ΕΛΛΗΝΟ-ΑΓΓΛΙΚΟΙ
ΑΓΓΛΟ-ΕΛΛΗΝΙΚΟΙ

Διάλογοι

GREEK-ENGLISH
ENGLISH-GREEK

Dialogues

ΚΑΛΟΚΑΘΗ

Σουλτάνη 2-4, 106 83 Αθήνα
Τηλ.: 010 3306 397, Fax: 010 3306 398

Γενική επιμέλεια έκδοσης: ΜΑΓΚΥ ΣΤΑΓΑΚΗ

	ΠΕΡΙΕΧΟΜΕΝΑ	TABLE OF CONTENTS

ΕΙΣΑΓΩΓΗ

Οι διάλογοι αυτοί έγιναν για να καλύψουν μια σοβαρή ανάγκη της ζήτησης από Έλληνες και Άγγλους, της Αγγλικής και Ελληνικής γλώσσας αντίστοιχα. Περιλαμβάνουν χρήσιμες εκφράσεις και λέξεις της σύγχρονης καθημερινής γλώσσας.

Οι λέξεις παρατάσσονται με αλφαβητική σειρά και μέσα σε αγκύλη δίνεται η προφορά τους. Οι φράσεις ομαδοποιούνται ανάλογα με το κυρίως θέμα.

Όσες λέξεις είναι σε παρένθεση, μπορούν να παραληφθούν.

PREFACE

The present dialogues have been written in order to cover the needs of Greek and British people, as far as it concerns everyday British and Greek language respectively. Modern language and common everyday expressions have been used.

The words are alphabetically ordered with the pronunciation given in brackets. The phrases are classified by subject.

Words in parentheses may be omitted.

ΕΛΛΗΝΙΚΟ ΑΛΦΑΒΗΤΟ – GREEK ALPHABET

The Greek alphabet has got 24 letters:

Greek Alphabet	Pronunciation
Α, ε – άλφα	A, a
Β, β – βήτα	V, v
Γ, γ – γάμα	Special consonant not found in the English language, pronounced as – y – in **yacht**. Here represented by – g –
Δ, δ – δέλτα	Special consonant pronounced as – th – in **this**. Here represented as – d –
Ε, ε – έψιλον	E, e
Ζ, ζ – ζήτα	Z, z
Η, η – ήτα	I, i
Θ, θ – θήτα	Special consonant pronounced as – th – in **thunder**. Here represented by – th –
Ι, ι – ιώτα	I, I
Κ, κ – κάπα	K, k
Λ, λ – λάμδα	L, l
Μ, μ – μι	M, m
Ν, ν – νι	N, n
Ξ, ξ – ξι	X, x
Ο, ο – όμικρον	O, o
Π, π – πι	P, p
Ρ, ρ – ρο	R, r
Σ, σ, ς – σίγμα	S, s. ς is only found in the end of words
Τ, τ – ταφ	T, t
Υ, υ – ύψιλον	I, i
Φ, φ – φι	F, f
Χ, χ – χι	H, h
Ψ, ψ – ψι	ps
Ω, ω - ωμέγα	O, o

ΣΥΝΔΥΑΣΜΟΙ ΓΡΑΜΜΑΤΩΝ ΤΗΣ ΕΛΛΗΝΙΚΗΣ ΓΛΩΣΣΑΣ
LETTER COMBINATIONS OF THE GREEK LANGUAGE

ΕΛΛΗΝΙΚΟ ΑΛΦΑΒΗΤΟ GREEK ALPHABET	ΠΡΟΦΟΡΑ PRONUNCIATION
αι - αϊ	e - ai
αυ	av
ει - εϊ	i - ei
ευ	ev
αυ - ευ - ηυ	af - ef - if (before consonants θ, κ, ξ, π, σ, τ, φ, χ, ψ)
οι – οϊ	i - oi
ου	ou
υι	i
γκ - γγ	g (- g - as in go, here represented by - gg -)
μπ	b
ντ	d (as in dear, here represented by - dd -)

ΣΥΝΤΟΜΗ ΓΡΑΜΜΑΤΙΚΗ ΤΗΣ ΕΛΛΗΝΙΚΗΣ ΓΛΩΣΣΑΣ
GREEK GRAMMAR IN BRIEF

1. Α. ΤΟ ΟΡΙΣΤΙΚΟ ΑΡΘΡΟ – THE DEFINITE ARTICLE

	Ενικός - Singular			**Πληθυντικός - Plural**		
	Masc.	Fem.	Neutral	Masc.	Fem.	Neutral
Nom.	ο	η	το	οι	οι	τα
Gen.	του	της	του	των	των	των
Ac.	τον	την	το	τους	τις	τα

1. Β. ΤΟ ΑΟΡΙΣΤΟ ΑΡΘΡΟ – THE INDEFINITE ARTICLE

Ενικός - Singular

	Masc.	Fem.	Neutral
Nom.	ένας	μία	ένα
Gen.	ενός	μίας	ενός
Ac.	ένα(ν)	μία	ένα

- The indefinite article has no plural form. When it is used, it is always placed before the singular noun and it accords with it in terms of gender, case and number.
- The definite article is always placed before the noun and it accords with it in terms of gender, case and number.
- The final – n – (ν) of the accusative case is only used when the noun begins with a vowel or the consonants κ, π, τ, μπ, ντ, γκ, τσ, τζ, ξ, ψ.

2. ΤΟ ΟΥΣΙΑΣΤΙΚΟ – THE NOUN

The usual endings of nouns are:

ΑΡΣΕΝΙΚΑ – MASCULINE

ΕΝΙΚΟΣ – SINGULAR				ΠΛΗΘΥΝΤΙΚΟΣ – PLURAL		
Nom.	-ας	-ης	-ος	-ες	-ες	-οι
Gen.	-α	-η	-ου	-ων	-ων	-ων
Ac.	-α	-η	-ο	-ες	-ες	-ους

ΘΗΛΥΚΑ – FEMININE

ΕΝΙΚΟΣ – SINGULAR				ΠΛΗΘΥΝΤΙΚΟΣ – PLURAL		
Nom.	-α	-η	-ος	-ες	-ες	-οι
Gen.	-ας	-ης	-ου	-ων	-ων	-ων
Ac.	-α	-η	-ο	-ες	-ες	-ους

ΟΥΔΕΤΕΡΑ – NEUTRAL

ΕΝΙΚΟΣ – SINGULAR				ΠΛΗΘΥΝΤΙΚΟΣ – PLURAL		
Nom.	-α(ς)	-ι	-ο	-ατα	-ια	-α
Gen.	-ατος	-ιου	-ου	-ατων	-ιων	-ων
Ac.	-α(ς)	-ι	-ο	-ατα	-ια	-α

3. ΤΟ ΕΠΙΘΕΤΟ – THE ADJECTIVE

- Adjectives usually precede the nouns they define.
- When the verb to be comes after the noun, the adjective follows.
- The adjective accords with the noun in terms of gender, case and number.

- The adjectives of the greek language form degrees of comparison.
  - **Comparative** is formed either with the adverb – πιο – [pio] before the adjective or with the endings –ότε-ρος, -ότερη, -ότερο [-oteros, -oteri, -otero].
    Ex. ωραίος (beautiful) – πιο ωραίος / ωραιότερος (more beautiful)
  - **Superlative** is formed either with the definite article and the adverb – πιο –, or with the endings –ότατος, -οτάτη, -ότατο [-otatos, -otati, -otato].
    Ex. ωραίος – ο πιο ωραίος / ωραιότατος (the most beautiful)

4. ΑΝΩΜΑΛΑ ΕΠΙΘΕΤΑ – IRREGULAR ADJECTIVES

There are adjectives which do not follow the rules of comparison.

καλός (good) - καλύτερος (better) - άριστος (the best)
κακός (bad) - χειρότερος (worse) - χείριστος (the worst)
μεγάλος (big) - μεγαλύτερος (bigger) - μέγιστος (the biggest)
πολύς (-) - περισσότερος (more) - πλείστος (the most)
λίγος (-) - λιγότερος (less) - ελάχιστος (the least)

5. ΤΟ ΕΠΙΡΡΗΜΑ – THE ADVERB

- Adverbs usually end in – ως [os]. Adverbs formed of adjectives end in – α [a].
- Degrees of comparison are usually formed the same way as in adjectives.

The more common adverbs are:

- of time (χρόνου)
  - αμέσως – [amessos] – immediately
  - αργά – [arga] – late
  - νωρίς – [noris] – early
  - πάντα – [padda] – always
  - ποτέ – [pote] – never
  - πότε – [pote] – when

- πριν – [prin] – before, ago
- σπάνια – [spania] – rarely
- συχνά – [sihna] – often, frequently
- τώρα – [tora] – now

- of place (τόπου)
  - εδώ – [edo] – here
  - εκεί – [eki] – there
  - έξω – [exo] – out, out of, outside
  - μέσα – [messa] – in, into
  - μπροστά – [brosta] – in front of
  - παντού – [paddou] – everywhere
  - πάνω – [pano] – on
  - πίσω – [pisso] – behind
- of quantity (ποσότητας)
  - αρκετά – [arketa] – enough
  - καθόλου – [katholou] – not at all
  - λίγο – [ligo] – little
  - πολύ – [poli] – much
  - πόσο – [posso] – how much
  - τίποτα – [tipota] – nothing
  - τόσο – [tosso] – so

6. Η ΑΝΤΩΝΥΜΙΑ – THE PRONOUN

ΠΡΟΣΩΠΙΚΕΣ ΑΝΤΩΝΥΜΙΕΣ – PERSONAL PRONOUNS

ΕΝΙΚΟΣ – SINGULAR			**ΠΛΗΘΥΝΤΙΚΟΣ – PLURAL**		
εγώ	[ego]	I	εμείς	[emis]	we
εσύ	[essi]	you	εσείς	[essis]	you
αυτός	[aftos]	he	αυτοί	[afti]	they
αυτή	[afti]	she	αυτές	[aftes]	they

ΚΤΗΤΙΚΕΣ ΑΝΤΩΝΥΜΙΕΣ – POSSESSIVE PRONOUNS

- They are placed either before the noun they precede or after the verb.
  - δικός, -η, -ο μου – [dikos mou] – mine

ΕΡΩΤΗΜΑΤΙΚΕΣ ΑΝΤΩΝΥΜΙΕΣ – INTERROGATIVE PRONOUNS

- ποιος, -α, -ο – [pios] – who, which
- πόσος, -η, -ο – [possos] – how much, how many

ΔΕΙΚΤΙΚΕΣ ΑΝΤΩΝΥΜΙΕΣ – DEMONSTRATIVE PRONOUNS

- When they are placed before a noun, the article follows.
  - αυτός, -η, -ο – [aftos] – this
  - εκείνος, -η, -ο – [ekinos] – that

ΑΝΑΦΟΡΙΚΕΣ ΑΝΤΩΝΥΜΙΕΣ – RELATIVE PRONOUNS

- ό,τι – [oti] – anyhting (άκλιτο ενικού – invariable singular)
- όποιος, -α, -ο – [opios] – anyone, anybody
- ο οποίος, η -α, το -ο, – [o opios] – who, that
- όσος, -η, -ο – [ossos] – any
- που – [pou] – that, who, which (άκλιτο– invariable)
- τόσος, -η, -ο – [tossos] – so

ΑΟΡΙΣΤΕΣ ΑΝΤΩΝΥΜΙΕΣ – INDEFINITE PRONOUNS

- ένας, μία, ένα – [enas, mia, ena] – one
- κάθε – [kathe] – every (άκλιτο ενικού – invariable singular)
- καθένας, καθεμία, καθένα – [kathenas, kathemia, kathena] – everyone
- κάποιος, -α, -ο – [kapios] – someone
- κανένας, καμιά, κανένα – [kanenas, kamia, kanena] – noone
- άλλος, -η, -ο – [alos] – other, else
- τίποτα – [tipota] – nothing (άκλιτο ουδέτερο ενικού – invariable neutral singular)

7. Η ΠΡΟΘΕΣΗ – THE PREPOSITION

- Prepositions always precede nouns, adjectives or adverbs.
- Nouns are usually in accusative case, when preceded by presspositions.

The most common prepositions are:

από – [apo] – from	για – [gia] – for
δίχως – [dihos] – without	(ε)ως – [(e)os] – until
κατά – [kata] – against	με – [me] – with
μετά – [meta] – after	προς – [pros] – to
σε – [se] – to, in	χωρίς – [horis] – without

8. Ο ΣΥΝΔΕΣΜΟΣ – THE CONJUNCTION

- Conjunctions are used to link words or phrases.

The most common ones are:

αλλά – [ala] – but	αφού – [afou] – since
γιατί – [giati] – because	(ε)αν – [(e)an] – if
ενώ – [eno] – while	επειδή – [epidi] – because
ή – [i] – or	και, κι – [ke, ki] – and
μόλις – [molis] – as soon as	όμως – [omos] – but
όταν – [otan] – when	ότι – [oti] – that
ούτε – [oute] – neither	ώστε – [oste] – in order to

9. ΤΟ ΡΗΜΑ – THE VERB

- In the greek language endings of verbs accord with their subject, tense and voice.
- There are eight tenses: present, imperfect, future simple, future progressive, past, present perfect, past perfect and future perfect.
- There are two voices: active and passive.
- There are three moods: indicative, subjunctive and imperative.
- Active voice has two types of conjugation: a) verbs ending in non-stressed –ω b) verbs ending in stressed –ώ (which comes of –άω).

ΕΝΕΡΓΗΤΙΚΗ ΦΩΝΗ – ACTIVE VOICE
ΕΝΕΣΤΩΤΑΣ - PRESENT

Α΄ Τύπος – TYPE A΄	**Β΄ Τύπος – TYPE B΄**
διαβάζ -ω (I read)	μιλ -ώ (άω) (I speak)
-εις	-ας
-ει	-α (αει)
-ουμε	-άμε
-ετε	-άτε
-ουν	-άνε

ΕΝΕΡΓΗΤΙΚΗ ΦΩΝΗ - ACTIVE VOICE
ΠΑΡΑΤΑΤΙΚΟΣ - IMPERFECT

Α΄ Τύπος - TYPE A΄	**Β΄ Τύπος - TYPE B΄**
διάβαζ -α (I was reading)	μιλ -ούσα (I was speaking)
-ες	-ούσες
-ε	-ούσε
-αμε	-ούσαμε
-ατε	-ούσατε
-αν(ε)	-ούσαν(ε)

ΕΝΕΡΓΗΤΙΚΗ ΦΩΝΗ - ACTIVE VOICE
ΣΤΙΓΜΙΑΙΟΣ ΜΕΛΛΟΝΤΑΣ – FUTURE SIMPLE

Α΄ Τύπος - TYPE A΄	**Β΄ Τύπος - TYPE B΄**
θα διαβάσ -ω (I will read)	θα μιλ -ήσω (I will speak)
-εις	-ήσεις
-ει	-ήσει
-ουμε	-ήσουμε
-ετε	-ήσετε
-ουν(ε)	-ήσουν(ε)

ΕΝΕΡΓΗΤΙΚΗ ΦΩΝΗ - ACTIVE VOICE
ΕΞΑΚΟΛΟΥΘΗΤΙΚΟΣ ΜΕΛΛΟΝΤΑΣ - FUTURE PROGRESSIVE

Α΄ Τύπος - TYPE A΄	**Β΄ Τύπος - TYPE B΄**
θα διαβάζ -ω (I will be reading)	θα μιλ -ώ (άω) (I will be speaking)
-εις	-άς
-ει	-ά (άει)
-ουμε	-άμε
-ετε	-άτε
-ουν (ε)	-άνε

ΕΝΕΡΓΗΤΙΚΗ ΦΩΝΗ - ACTIVE VOICE
ΑΟΡΙΣΤΟΣ – PAST SIMPLE

Α΄ Τύπος - TYPE A΄	**Β΄ Τύπος - TYPE B΄**
διάβασ -α (I read)	μίλ -ησα (I spoke)
-ες	-ησες
-ε	-ησε
-αμε	-ήσαμε
-ατε	-ήσατε
-αν(ε)	-ησαν(ε)

ΕΝΕΡΓΗΤΙΚΗ ΦΩΝΗ - ACTIVE VOICE
ΠΑΡΑΚΕΙΜΕΝΟΣ -- PRESENT PERFECT

Α΄ Τύπος - TYPE A΄	**Β΄ Τύπος - TYPE B΄**
έχω διαβάσει (I have read)	έχω μιλήσει (I have spoken)

ΕΝΕΡΓΗΤΙΚΗ ΦΩΝΗ - ACTIVE VOICE
ΥΠΕΡΣΥΝΤΕΛΙΚΟΣ – PAST PERFECT

Α΄ Τύπος - TYPE A΄	**Β΄ Τύπος - TYPE B΄**
είχα διαβάσει (I had read)	είχα μιλήσει (I had spoken)

ΕΝΕΡΓΗΤΙΚΗ ΦΩΝΗ - ACTIVE VOICE
ΣΥΝΤΕΛΕΣΜΕΝΟΣ ΜΕΛΛΟΝΤΑΣ – FUTURE PERFECT

Α΄ Τύπος - TYPE A΄	**Β΄ Τύπος - TYPE B΄**
θα έχω διαβάσει (I will have read)	θα έχω μιλήσει (I will have spoken)

10. ΒΟΗΘΗΤΙΚΑ ΡΗΜΑΤΑ – AUXILIARY VERBS

- Greek language has got two auxiliary verbs: είμαι – [ime] – (to be) and έχω – [eho] – (to have).

ΕΝΕΣΤΩΤΑΣ – PRESENT

TO BE		**TO HAVE**	
είμαι	[ime]	έχω	[eho]
είσαι	[isse]	έχεις	[ehis]
είναι	[ine]	έχει	[ehi]
είμαστε	[imaste]	έχουμε	[ehoume]
είσαστε, είστε	[issaste, iste]	έχετε	[ehete]
είναι	[ine]	έχουν	[ehun]

ΠΑΡΑΤΑΤΙΚΟΣ – IMPERFECT

TO BE		TO HAVE	
ήμουν	[imun]	είχα	[iha]
ήσουν	[issun]	είχες	[ihes]
ήταν	[itan]	είχε	[ihe]
ήμαστε	[imaste]	είχαμε	[ihame]
ήσαστε	[issaste]	είχατε	[ihate]
ήταν	[itan]	είχαν	[ihan]

ΕΞΑΚΟΛΟΥΘΗΤΙΚΟΣ ΜΕΛΛΟΝΤΑΣ – FUTURE PROGRESSIVE

TO BE		TO HAVE	
θα είμαι	[tha ime]	θα έχω	[tha eho]
θα είσαι	[tha isse]	θα έχεις	[tha ehis]
θα είναι	[tha ine]	θα έχει	[tha ehi]
θα είμαστε	[tha imaste]	θα έχουμε	[tha ehume]
θα είσαστε, είστε	[tha issaste, iste]	θα έχετε	[tha ehete]
θα είναι	[tha ine]	θα έχουν	[tha ehun]

ΤΟ ΑΓΓΛΙΚΟ ΑΛΦΑΒΗΤΟ
THE ENGLISH ALPHABET

Το αγγλικό αλφάβητο αποτελείται από 26 γράμματα:

Αγγλικό Αλφάβητο	Προφορά
A, a	έι
B, b	μπι
C, c	σι
D, d	ντι
E, e	ι
F, f	εφ
G, g	τζι
H, h	έιτς
I, i	άι
J, j	τζέι
K, k	κέι
L, l	ελ
M, m	εμ
N, n	εν
O, o	όου
P, p	πι
Q, q	κιου
R, r	αρ
S, s	ες
T, t	τι
U, u	γιού
V, v	βι
W, w	νταμπλ γιού
X, x	εξ
Y, y	γουάι
Z, z	ζεντ

Για τη σωστότερη απόδοση της προφοράς των αγγλικών λέξεων, σημειώνουμε τα εξής:

- ο ήχος – τζ – έχει πάντα το – ζ – παχύ.
- το – σσ – ή – σς – αντιστοιχεί σε – σ – παχύ.
- το – mb – συμβολίζεται με μμπ.
- το – nd – συμβολίζεται με νντ.
- το – nt – συμβολίζεται με ν'τ και διαβάζεται σαν δύο ξεχωριστά γράμματα.
- το – mp – συμβολίζεται με μ'π και διαβάζεται σαν δύο ξεχωριστά γράμματα.

ΣΥΝΤΟΜΗ ΓΡΑΜΜΑΤΙΚΗ ΤΗΣ ΑΓΓΛΙΚΗΣ ΓΛΩΣΣΑΣ ENGLISH GRAMMAR IN BRIEF

ΤΑ ΑΡΘΡΑ – THE ARTICLES

Α. ΤΟ ΟΡΙΣΤΙΚΟ ΑΡΘΡΟ – THE DEFINITE ARTICLE

- Το οριστικό άρθρο **[the = δε / δι]** είναι αμετάβλητο στον ενικό και τον πληθυντικό αριθμό, αντιστοιχεί στα ελληνικά άρθρα ο, η, το, οι, τα και χρησιμοποιείται μπροστά από όλα τα ουσιαστικά, όταν αναφερόμαστε σε κάτι συγκεκριμένο.
- Δεν χρησιμοποιείται μπροστά από:
  - τα κύρια ονόματα (ονόματα ανθρώπων, ηπείρων, χωρών, πόλεων, δρόμων, νησιών, ημερών, βουνών κλπ.)
  - ουσιαστικά που έχουν μπροστά τους κτητικό επίθετο
  - αφηρημένα ουσιαστικά
  - λέξεις όπως **bed, prison, hospital, school**, όταν χρησιμοποιούνται για το σκοπό που υπάρχουν
- Χρησιμοποιείται κατ' εξαίρεση μπροστά από κύρια ονόματα:
  - ξενοδοχείων, κινηματογράφων, εφημερίδων, θαλασσών, ποταμών, ωκεανών και ερήμων
  - χωρών, όταν είναι στον πληθυντικό αριθμό
  - συστάδων νησιών και οροσειρών
  - επίθετα ανθρώπων στον πληθυντικό, όταν εννοούμε όλη την οικογένεια

Β. ΤΟ ΑΟΡΙΣΤΟ ΑΡΘΡΟ – THE INDEFINITE ARTICLE

Το αόριστο άρθρο **[a / an = ε / εν]** χρησιμοποιείται μόνο μπροστά από ουσιαστικά ενικού αριθμού που μπορούν να μετρηθούν και μπροστά από επίθετα που συνοδεύουν τέτοια ουσιαστικά.

ΤΑ ΟΥΣΙΑΣΤΙΚΑ – THE NOUNS

- Τα ουσιαστικά είναι άκλιτα. Έχουν μια μορφή ενικού και μια μορφή πληθυντικού αριθμού και χωρίζονται σε τέσσερις βασικές κατηγορίες:
  - αυτά που έχουν ενικό και πληθυντικό αριθμό
  - αυτά που έχουν μόνο ενικό
  - αυτά που έχουν μόνο πληθυντικό
  - αυτά που είναι τα ίδια στον ενικό και τον πληθυντικό
- Ο πληθυντικός των ουσιαστικών σχηματίζεται:
  - με την προσθήκη της κατάληξης **–s** στο τέλος της λέξης. π.χ. book – books (βιβλίο)
  - με την προσθήκη της κατάληξης **–es** στο τέλος της λέξης, όταν αυτή τελειώνει σε **-s, -ss, -sh, -ch, -x και -o**. π.χ. church – churches (εκκλησία)
  - με την προσθήκη της κατάληξης **–ies** στο τέλος της λέξης, όταν αυτή τελειώνει σε σύμφωνο και **y**, αφού αφαιρεθεί το **–y**. π.χ. baby – babies (μωρό)
  - με την προσθήκη της κατάληξης **–ves** στο τέλος της λέξης, όταν αυτή τελειώνει σε **–f** ή **–fe**, αφού αφαιρεθεί το **–f** ή **–fe**. π.χ. wolf – wolves (λύκος)
  - για ορισμένα ανώμαλα ουσιαστικά με μετατροπή της λέξης στον πληθυντικό. π.χ. man – men (άντρας), mouse – mice (ποντίκι)

ΤΑ ΕΠΙΘΕΤΑ – THE ADJECTIVES

- Τα επίθετα είναι αμετάβλητα τόσο στο γένος όσο και στον αριθμό και τοποθετούνται πάντα πριν από το ουσιαστικό που προσδιορίζουν. Σχηματίζουν το συγκριτικό βαθμό με την κατάληξη **–er** και τον υπερθετικό με την κατάληξη **–est**. π.χ. tall – taller – tallest (ψηλός). Όσα έχουν τρεις ή περισσότερες συλλαβές σχηματίζουν το συγκριτικό και τον υπερθετικό περιφραστικά, με τις λέξεις **more** και **most** αντίστοιχα. π.χ. beautiful – more beautiful – most beautiful (όμορφος)

ΤΑ ΚΤΗΤΙΚΑ ΕΠΙΘΕΤΑ – THE POSSESSIVE ADJECTIVES

- Τα κτητικά επίθετα μπαίνουν πάντα μπροστά από τα ουσιαστικά που προσδιορίζουν. Όταν χρησιμοποιούμε κτητικό επίθετο, δεν χρησιμοποιούμε άρθρο.

ΕΝΙΚΟΣ		ΠΛΗΘΥΝΤΙΚΟΣ	
my	μου	our	μας
your	σου	your	σας
his	του	their	τους
her	της		
its	του		

ΤΑ ΕΠΙΡΡΗΜΑΤΑ – THE ADVERBS

- Τα επιρρήματα σχηματίζονται κυρίως με την προσθήκη της κατάληξης **-ly** στο τέλος του επιθέτου. π.χ. correct – correctly (σωστός – σωστά)
- Χωρίζονται σε τροπικά, τοπικά και χρονικά. Τοποθετούνται στις προτάσεις μετά το ρήμα ή το αντικείμενο, με τη σειρά **Τρόπος / Τόπος / Χρόνος**. Αν το ρήμα της πρότασης δείχνει κίνηση η σειρά γίνεται **Τόπος / Τρόπος / Χρόνος**. Μια κατηγορία των χρονικών επιρρημάτων, τα επιρρήματα συχνότητας (**always, never, often κλπ.**) τοποθετούνται πριν από το κύριο ρήμα της πρότασης και μετά το βοηθητικό ρήμα **to be**.

ΟΙ ΑΝΤΩΝΥΜΙΕΣ – THE PRONOUNS

ΠΡΟΣΩΠΙΚΕΣ ΑΝΤΩΝΥΜΙΕΣ – PERSONAL PRONOUNS

ΟΝΟΜΑΣΤΙΚΗ ΠΤΩΣΗ (χρησιμοποιούνται σαν υποκείμενα)				ΑΙΤΙΑΤΙΚΗ ΠΤΩΣΗ (χρησιμοποιούνται σαν αντικείμενα)			
ΕΝΙΚΟΣ		ΠΛΗΘΥΝΤΙΚΟΣ		ΕΝΙΚΟΣ		ΠΛΗΘΥΝΤΙΚΟΣ	
I	εγώ	we	εμείς	me	εμένα/μου	us	εμάς/μας
you	εσύ	you	εσείς	you	εσένα/σου	you	εσάς/σας
he	αυτός	they	αυτοί	him	αυτού/του	them	αυτούς/τους
she	αυτή			her	αυτής/της		
it	αυτό			it	αυτού/του		

ΚΤΗΤΙΚΕΣ ΑΝΤΩΝΥΜΙΕΣ – POSSESSIVE PRONOUNS

ΕΝΙΚΟΣ		ΠΛΗΘΥΝΤΙΚΟΣ	
mine	δικός / δική / δικό μου	ours	δικοί / δικές / δικά μας
yours	δικός / δική / δικό σου	yours	δικοί / δικές / δικά σας
his	δικός / δική / δικό του	theirs	δικοί / δικές / δικά τους
hers	δικός / δική / δικό της		
its	δικός / δική / δικό του		

ΑΝΑΦΟΡΙΚΕΣ ΑΝΤΩΝΥΜΙΕΣ – RELATIVE PRONOUNS

- Οι αναφορικές αντωνυμίες είναι ίδιες στον ενικό και τον πληθυντικό.
  - **who**: που / οποίος / οποία / οποίο / οποίοι / οποίες / οποία (μόνο για πρόσωπα)
  - **whose**: του οποίου / της οποίας / του οποίου / των οποίων (για πρόσωπα, ζώα και πράγματα)
  - **whom**: τον οποίο / την οποία / το οποίο / τους οποίους / τις οποίες / τα οποία (μόνο για πρόσωπα)
  - **which**: που / οποίος / οποία / οποίο / οποίοι / οποίες / οποία (μόνο για ζώα και πράγματα)
  - **that**: που / οποίος / οποία / οποίο / οποίοι / οποίες / οποία (για πρόσωπα και πράγματα)

ΔΕΙΚΤΙΚΕΣ ΑΝΤΩΝΥΜΙΕΣ – DEMONSTRATIVE PRONOUNS

ΕΝΙΚΟΣ	ΠΛΗΘΥΝΤΙΚΟΣ
this – αυτός / αυτή / αυτό	these – αυτοί / αυτές / αυτά
that – εκείνος / εκείνη / εκείνο	those – εκείνοι / εκείνες / εκείνα

ΑΥΤΟΠΑΘΕΙΣ ΑΝΤΩΝΥΜΙΕΣ – REFLEXIVE PRONOUNS

ΕΝΙΚΟΣ		ΠΛΗΘΥΝΤΙΚΟΣ	
myself	ο εαυτός μου	ourselves	οι εαυτοί μας
yourself	ο εαυτός σου	yourselves	οι εαυτοί σας
himself	ο εαυτός του	themselves	οι εαυτοί τους
herself	ο εαυτός της		
itself	ο εαυτός του		

ΟΙ ΠΡΟΘΕΣΕΙΣ – THE PREPOSITIONS

- Η αγγλική γλώσσα περιλαμβάνει ένα μεγάλο αριθμό προθέσεων με ποικίλες χρήσεις και σημασίες. Μερικές από τις πιο κοινές προθέσεις είναι:

from (από)	over (πάνω από)	under (κάτω από)
at (σε) δείχνει στάση και χρησιμοποιείται πριν από την ώρα και τις διευθύνσεις	in (μέσα σε) χρησιμοποιείται πριν από μήνες, εποχές, χρονολογίες	on (επάνω σε) χρησιμοποιείται μπροστά από ημέρες
down (κάτω)	for (για)	with (με)
since (από {τότε}) με χρονική σημασία	to (σε / προς) δείχνει κίνηση	of (για / του) συνήθως δείχνει τη γενική πτώση

ΤΑ ΡΗΜΑΤΑ – THE VERBS

Στην αγγλική γλώσσα τα ρήματα χωρίζονται σε δύο κατηγορίες, ανάλογα με τον τρόπο που σχηματίζουν τους αρχικούς τύπους τους: στα ομαλά και τα ανώμαλα. Οι αρχικοί τύποι είναι: το απαρέμφατο, ο αόριστος και η παθητική μετοχή.

Τα ομαλά σχηματίζουν τον αόριστο και την παθητική μετοχή με την προσθήκη της κατάληξης **–ed** στο απαρέμφατο. Τα ανώμαλα σχηματίζουν τον αόριστο και την παθητική με δικές τους μορφές το καθένα.

Υπάρχουν δώδεκα χρόνοι, έξι απλοί και έξι διαρκείας, που σχηματίζονται με τη χρήση του ανάλογου αρχικού τύπου και δύο φωνές: η ενεργητική και η παθητική. Η δεύτερη σχηματίζεται με τον κατάλληλο τύπο του βοηθητικού ρήματος **to be (είμαι)** και την παθητική μετοχή του κυρίου ρήματος.

ΕΝΕΡΓΗΤΙΚΗ ΦΩΝΗ – ACTIVE VOICE

ΕΝΕΣΤΩΤΑΣ ΑΠΛΟΣ PRESENT SIMPLE	
ΟΜΑΛΟ	**ΑΝΩΜΑΛΟ**
I love (αγαπώ)	I eat (τρώω)
you love	you eat
he / she / it loves	he / she / it eats
we / you / they love	we / you / they eat

ΕΝΕΣΤΩΤΑΣ ΔΙΑΡΚΕΙΑΣ PRESENT CONTINUOUS	
ΟΜΑΛΟ	**ΑΝΩΜΑΛΟ**
I am loving	I am eating
you are loving	you are eating
he / she / it is loving	he / she / it is eating
we / you / they are loving	we / you / they are eating

ΑΟΡΙΣΤΟΣ ΑΠΛΟΣ PAST SIMPLE	
ΟΜΑΛΟ	**ΑΝΩΜΑΛΟ**
I loved	I ate
you loved	you ate
he / she / it loved	he / she / it ate
we / you / they loved	we / you / they ate

ΑΟΡΙΣΤΟΣ ΔΙΑΡΚΕΙΑΣ PAST CONTINUOUS	
ΟΜΑΛΟ	**ΑΝΩΜΑΛΟ**
I was loving	I was eating
you were loving	you were eating
he / she / it was loving	he / she / it was eating
we / you / they were loving	we / you / they were eating

ΜΕΛΛΟΝΤΑΣ ΑΠΛΟΣ FUTURE SIMPLE	
ΟΜΑΛΟ	**ΑΝΩΜΑΛΟ**
I will love	I will eat
you will love	you will eat
he / she / it will love	he / she / it will eat
we / you / they will love	we / you / they will eat

ΜΕΛΛΟΝΤΑΣ ΔΙΑΡΚΕΙΑΣ FUTURE CONTINUOUS	
ΟΜΑΛΟ	**ΑΝΩΜΑΛΟ**
I will be loving	I will be eating
you will be loving	you will be eating
he / she / it will be loving	he / she / it will be eating
we / you / they will be loving	we / you / they will be eating

ΠΑΡΑΚΕΙΜΕΝΟΣ ΑΠΛΟΣ PRESENT PERFECT SIMPLE	
ΟΜΑΛΟ	**ΑΝΩΜΑΛΟ**
I have loved	I have eaten
you have loved	you have eaten
he / she / it has loved	he / she / it has eaten
we / you / they have loved	we / you / they have eaten

ΠΑΡΑΚΕΙΜΕΝΟΣ ΔΙΑΡΚΕΙΑΣ PRESENT PERFECT CONTINUOUS	
ΟΜΑΛΟ	**ΑΝΩΜΑΛΟ**
I have been loving	I have been eating
you have been loving	you have been eating
he / she / it has been loving	he / she / it has been eating
we / you / they have been loving	we / you / they have been eating

ΥΠΕΡΣΥΝΤΕΛΙΚΟΣ ΑΠΛΟΣ PAST PERFECT SIMPLE	
ΟΜΑΛΟ	**ΑΝΩΜΑΛΟ**
I had loved	I had eaten
you had loved	you had eaten
he / she / it had loved	he / she / it had eaten
we / you / they had loved	we / you / they had eaten

ΥΠΕΡΣΥΝΤΕΛΙΚΟΣ ΔΙΑΡΚΕΙΑΣ PAST PERFECT CONTINUOUS	
ΟΜΑΛΟ	**ΑΝΩΜΑΛΟ**
I had been loving	I had been eating
you had been loving	you had been eating
he / she / it had been loving	he / she / it had been eating
we / you / they had been loving	we / you / they had been eating

ΣΥΝΤΕΛΕΣΜΕΝΟΣ ΜΕΛΛΟΝΤΑΣ ΑΠΛΟΣ FUTURE PERFECT SIMPLE	
ΟΜΑΛΟ	**ΑΝΩΜΑΛΟ**
I will have loved	I will have eaten
you will have loved	you will have eaten
he / she / it will have loved	he / she / it will have eaten
we / you / they will have loved	we / you / they will have eaten

ΣΥΝΤΕΛΕΣΜΕΝΟΣ ΜΕΛΛΟΝΤΑΣ ΔΙΑΡΚΕΙΑΣ FUTURE PERFECT CONTINUOUS	
ΟΜΑΛΟ	**ΑΝΩΜΑΛΟ**
I will have been loving	I will have been eating
you will have been loving	you will have been eating
he / she / it will have been loving	he/she/it will have been eating
we / you / they will have been loving	we / you / they will have been eating

PASSIVE VOICE

ΠΑΡΑΔΕΙΓΜΑΤΑ

ΕΝΕΣΤΩΤΑΣ ΑΠΛΟΣ / PRESENT SIMPLE:

I am taught (διδάσκομαι)

ΕΝΕΣΤΩΤΑΣ ΔΙΑΡΚΕΙΑΣ / PRESENT CONTINUOUS:

I am being taught (διδάσκομαι -αυτή τη στιγμή-)

ΑΟΡΙΣΤΟΣ ΑΠΛΟΣ / PAST SIMPLE:

I was taught (διδάχτηκα)

ΑΟΡΙΣΤΟΣ ΔΙΑΡΚΕΙΑΣ / PAST CONTINUOUS:

I was being taught (διδασκόμουν)

ΜΕΛΛΟΝΤΑΣ ΑΠΛΟΣ / FUTURE SIMPLE:

I will be taught (θα διδαχθώ)

ΜΕΛΛΟΝΤΑΣ ΔΙΑΡΚΕΙΑΣ / FUTURE CONTINUOUS: ---

ΠΑΡΑΚΕΙΜΕΝΟΣ ΑΠΛΟΣ / PRESENT PERFECT SIMPLE:

I have been taught (έχω διδαχθεί)

ΠΑΡΑΚΕΙΜΕΝΟΣ ΔΙΑΡΚΕΙΑΣ / PRESENT PERFECT CONTINUOUS: ---

ΥΠΕΡΣΥΝΤΕΛΙΚΟΣ ΑΠΛΟΣ / PAST PERFECT SIMPLE:

I had been taught (είχα διδαχθεί)

ΥΠΕΡΣΥΝΤΕΛΙΚΟΣ ΔΙΑΡΚΕΙΑΣ / PAST PERFECT CONTINUOUS: ---

ΣΥΝΤΕΛΕΣΜΕΝΟΣ ΜΕΛΛΟΝΤΑΣ ΑΠΛΟΣ / FUTURE PERFECT SIMPLE:

I will have been taught (θα έχω διδαχθεί)

ΣΥΝΤΕΛΕΣΜΕΝΟΣ ΜΕΛΛΟΝΤΑΣ ΔΙΑΡΚΕΙΑΣ / FUTURE PERFECT CONTINUOUS: ---

ΤΑ ΒΟΗΘΗΤΙΚΑ ΡΗΜΑΤΑ – THE AUXILIARY VERBS

- Στην Αγγλική γλώσσα τα βοηθητικά ρήματα είναι δύο: to be (είμαι), to have (έχω)

ΕΝΕΣΤΩΤΑΣ – PRESENT	
ΕΙΜΑΙ	
I am	[άι εμ]
you are	[γιού αρ]
he / she / it is	[χι / σσι / ιτ ιζ]
we / you / they are	[γουι / γιου / δέι αρ]

ΕΝΕΣΤΩΤΑΣ – PRESENT	
ΕΧΩ	
I have	[άι χαβ]
you have	[γιού χαβ]
he / she / it has	[χι / σσι / ιτ χαζ]
we / you / they have	[γουι / γιου / δέι χαβ]

ΜΕΛΛΟΝΤΑΣ – FUTURE	
ΕΙΜΑΙ	**ΕΧΩ**
I will be	I will have

ΑΟΡΙΣΤΟΣ – PAST	
ΕΙΜΑΙ	**ΕΧΩ**
I was	I had

ΠΑΡΑΚΕΙΜΕΝΟΣ – PRESENT PERFECT	
ΕΙΜΑΙ	**ΕΧΩ**
I have been	I have had

ΥΠΕΡΣΥΝΤΕΛΙΚΟΣ – PAST PERFECT	
ΕΙΜΑΙ	**ΕΧΩ**
I had been	I had had

ΣΥΝΤΕΛΕΣΜΕΝΟΣ ΜΕΛΛΟΝΤΑΣ – FUTURE PERFECT	
ΕΙΜΑΙ	**ΕΧΩ**
I will have been	I will have had

ΟΙ ΧΑΙΡΕΤΙΣΜΟΙ [i heretismi]	**THE SALUTATIONS** [δε σαλιουτέισσνς]
Αντίο! [addio]	**Goodbye!** [γκουντμπάι]
Καλημέρα! / Καληνύχτα! [kalimera / kalinihta]	**Good morning! / Good night** [γκουντ μόρνιν. / γκουντ νάιτ]
Καλησπέρα! [kalispera]	**Good evening!** [γκουντ ίβνιν]
Χαίρετε! [herete]	**Hello!** [χελόου]
Γεια! (σου) / (σας) [gia (sou) / (sas)]	**Bye!** [μπάι]
Καλόν ύπνο! [kalon ipno]	**Have a nice sleep!** [χαβ ε νάις σλιπ]
Καλό βράδυ! [kalo vradi]	**Good night!** [γκουντ νάιτ]
Καλώς ήρθατε! / Καλωσορίσατε! [kalos irthate / kalossorisate]	**Welcome!** [γουέλκαμ]
Καλώς σας βρήκαμε! [kalos sas vrikame]	**Happy to be here with you!** [χάπι του μπι χίαρ γουίδ γιού]
Καλή αντάμωση! [kali addamosi]	**Till we meet again!** [τιλ γουί μιτ αγκέν]
Χαίρω πολύ! / Χάρηκα! [hero poli / harika]	**How do you do!** [χάου ντου γιού ντου]
Χάρηκα για τη γνωριμία μας. [harika gia ti gnorimia mas]	**Nice to meet you.** [νάις του μιτ γιού]

ΟΙ ΧΑΙΡΕΤΙΣΜΟΙ [i heretismi]	**THE SALUTATIONS** [δε σαλιουτέισσνς]
(Πολλούς) Χαιρετισμούς ... [(polous) heretismous]	**(Many) regards ...** [(μένι) ριγκάρντς]
- **στο σπίτι / στην οικογένειά σας.** - [sto spiti / stin ikogenia sas]	- **to your people at home / to your family.** - [του γιόρ πίπολ ατ χομ / του γιόρ φάμιλι]
- **στη γυναίκα σας.** - [sti gineka sas]	- **to your wife.** - [του γιόρ γουάιφ]
- **στον άνδρα σας.** - [ston andra sas]	- **to your husband.** - [του γιόρ χάσμπαντ]
- **από τον / την ...** - [apo ton / tin]	- **from ...** - [φρομ]
Τι κάνεις; / Πώς είσαι; [ti kanis / pos isse]	**How are you?** [χάου αρ γιού]
Πώς τα πας; [pos ta pas]	**How is it going?** [χάου ιζ ιτ γκόουιν]
(Πολύ) Καλά, ευχαριστώ. Κι εσείς; [(poli) kala, efharisto. ki essis]	**Very well, thank you. What about you?** [βέρι γουέλ, θένκιου. γουότ αμπάουτ γιού]
Αρκετά καλά, ευχαριστώ. [arketa kala, efharisto]	**I'm O.K., thank you.** [άιμ οκέι, θένκιου]
Έτσι κι έτσι. [etsi ki etsi]	**So and so.** [σόου εντ σόου]
Όχι και τόσο καλά. [ohi ke tosso kala]	**Not so well.** [νοτ σόου γουέλ]
Δεν είμαι (πολύ) καλά. [den ime (poli) kala]	**I'm not (very) well.** [άιμ νοτ (βέρι) γουέλ]

ΟΙ ΝΕΕΣ ΓΝΩΡΙΜΙΕΣ – ΟΙ ΣΧΕΣΕΙΣ [i nees gonorimies – i shessis]	**NEW AQUAINTANCES – RELATIONS** [νιού ακουέιτανσις – ριλέισσονς]
Αγκαλιάζω [aggaliazo]	**Hug** [χαγκ]
Δεσποινίδα [despinida]	**Miss** [μις]
Εραστής, ερωμένη [erastis, eromeni]	**Lover** [λάβερ]
Θέλω. / Δε θέλω. / Θα ήθελα. [thelo / de thelo / tha ithela]	**I want. / I don't want. / I would like to.** [άι γουόν'τ / άι ντον'τ γουόν'τ / άι γουντ λάικ του]
Φιλενάδα [filenada]	**Girlfriend** [γκέρλφρεννт]
Φίλος, φίλη [filos, fili]	**Friend, girlfriend / boyfriend** [φρεννт, γκέρλφρεννт / μπόιφρεννт]
Χαϊδεύω [haïdevo]	**Stroke** [στρόουκ]
(Θα ήθελα) να σου / σας συστήσω τον / την ... [(tha ithela) na sou / sas sistisso ton / tin]	**I would like to introduce ... to you.** [άι γουντ λάικ του ιντροντιούς … του γιού]
Είμαι ο / η ... [ime o / i]	**I'm ...** [άιμ]
Ονομάζομαι ... [onomazome]	**I'm called ...** [άιμ κολντ]
Με λένε ... [me lene]	**My name is ...** [μάι νέιμ ιζ]

ΟΙ ΝΕΕΣ ΓΝΩΡΙΜΙΕΣ – ΟΙ ΣΧΕΣΕΙΣ [i nees gonorimies – i shessis]	**NEW AQUAINTANCES – RELATIONS** [νιού ακουέιτανσις – ριλέισσονς]
Λέγομαι ... [legome]	**My name is ...** [μάι νέιμ ιζ]
Το όνομα μου είναι ... [to onoma mou ine]	**My name is ...** [μάι νέιμ ιζ]
Πώς σε / σας λένε; [pos se / sas lene]	**What' s your name?** [γουότς γιόρ νέιμ]
Ποιος είσαι; [pios isse]	**Who are you?** [χου αρ γιού]
Πώς λέγεσαι; [pos legesse]	**What' s your name?** [γουότς γιόρ νέιμ]
Πώς ονομάζεσαι; [pos onomazesse]	**What' s your name?** [γουότς γιόρ νέιμ]
Ποιο είναι το όνομα σου; [pio ine to onoma sou]	**What' s your name?** [γουότς γιόρ νέιμ]
Από πού είσαι; [apo pou isse]	**Where are you from?** [γουέαρ αρ γιού φρομ]
Από πού κατάγεσαι; [apo pou katagesse]	**Where do you come from?** [γουέαρ ντου γιού καμ φρομ]
Ποια είναι η καταγωγή σου; [pia ine i katagogi sou]	**Where do you come from?** [γουέαρ ντου γιού καμ φρομ]
Είμαι από την Ελλάδα. [ime apo tin elada]	**I'm from Greece.** [άιμ φρομ γκρις]
Είμαι Έλληνας / Ελληνίδα. [ime elinas / elinida]	**I'm Greek.** [άιμ γκρικ]

ΟΙ ΝΕΕΣ ΓΝΩΡΙΜΙΕΣ – ΟΙ ΣΧΕΣΕΙΣ [i nees gonorimies – i shessis]	**NEW AQUAINTANCES – RELATIONS** [νιού ακουέιτανσις – ριλέισσονς]
Από ποια πόλη / χωριό είσαι; [apo pia poli / horio isse]	**Which town / village are you from?** [γουίτς τάουν / βίλατζ αρ γιού φρομ]
Είμαι από την Αθήνα. [ime apo tin athina]	**I'm from Athens.** [άιμ φρομ άθενς]
Είσαι / Μένεις καιρό στην Ελλάδα; [isse / menis kero stin elada]	**Have you been in Greece for a long time?** [χαβ γιού μπιν ιν γκρις φορ ε λονγκ τάιμ]
Πόσο καιρό είσαι / μένεις εδώ; [posso kero isse / menis edo]	**How long have you been / have you been staying here?** [χάου λονγκ χαβ γιού μπιν / χαβ γιού μπιν στέιν χίαρ]
Θα μείνεις πολλές ημέρες στην Αθήνα; [tha minis poles imeres stin athina]	**Will you stay in Greece for many days?** [γουίλ γιού στέι ιν γκρις φορ μένι ντέιζ]
Θα μείνω ... / Φεύγω σε ... [tha mino / fevgo se]	**I' ll stay ... / I'm leaving in ...** [άιλ στέι / άιμ λίβιν ιν]
- **δύο μέρες.** - [dio meres]	- **two days.** - [του ντέιζ]
- **μια εβδομάδα.** - [mia evdomada]	- **one week.** - [ουάν γουίκ]

ΟΙ ΝΕΕΣ ΓΝΩΡΙΜΙΕΣ – ΟΙ ΣΧΕΣΕΙΣ [i nees gonorimies – i shessis]	**NEW AQUAINTANCES – RELATIONS** [νιού ακουέιτανσις – ριλέισσονς]
Είμαι περαστικός από την Αθήνα. [ime perastikos apo tin athina]	**I'm passing through Athens.** [άιμ πάσιν θρου άθενς]
Πρώτη φορά έρχεσαι στην Ελλάδα; [proti fora erhesse stin elada]	**Is this your first visit in Greece?** [ιζ δις γιόρ φερστ βίζιτ ιν γκρις]
Είναι η πρώτη μου επίσκεψη εδώ. [ine i proti mou episkepsi edo]	**It's my first visit here.** [ιτς μάι φερστ βίζιτ χίαρ]
Έχω έρθει αρκετές φορές στην Ελλάδα. [eho erthi arketes fores stin elada]	**I've been to Greece many times.** [άιβ μπιν του γκρις μένι τάιμς]
Πώς ήρθες στην Ελλάδα; [pos irthes stin elada]	**How did you come to Greece?** [χάου ντιντ γιού καμ του γκρις]
Ήρθα ... [irtha]	**I came ...** [άι κέιμ]
- **με δικό μου αυτοκίνητο.** - [me diko mou aftokinito]	- **by my own car.** - [μπάι μάι όουν καρ]
- **εκδρομή με πούλμαν.** - [ekdromi me poulman]	- **on a coach trip.** - [ον ε κόουτς τριπ]
- **σαν τουρίστας.** - [san touristas]	- **as a tourist.** - [αζ ε τούριστ]
- **σαν επιχειρηματίας.** - [san epihirimatias]	- **as a businessman.** - [αζ ε μπίζνεσμαν]

ΟΙ ΝΕΕΣ ΓΝΩΡΙΜΙΕΣ – ΟΙ ΣΧΕΣΕΙΣ [i nees gonorimies – i shessis]	**NEW AQUAINTANCES – RELATIONS** [νιού ακουέιτανσις – ριλέισσονς]
Πού μένεις / κατοικείς; [pou menis / katikis]	**Where do you stay / live?** [γουέαρ ντου γιού στέι / λιβ]
Ποια είναι η διεύθυνσή σου; [pia ine i diefthinsi sou]	**What's your address?** [γουότς γιόρ αντρές]
Μένω ... / Κατοικώ ... / Η διεύθυνση μου είναι ... [meno / katiko / i diefthinsi mou ine]	**I stay ... / I live ... / My address is ...** [άι στέι / άι λιβ / μάι αντρές ιζ]
Μένω στην Κηφισιά, στην οδό Σταδίου 15. [meno stin kifissia, stin odo stadiou dekapedde]	**I stay in Kifissia, 15 Stadiou str.** [άι στέι ιν κιφισσιά, φιφτίν σταντίου στριτ]
Σε ποια περιοχή είναι αυτό; [se pia periohi ine afto]	**Where is that?** [γουέαρ ιζ δατ]
Μένω στο ξενοδοχείο ... [meno sto xenodohio]	**I stay in the hotel ...** [άι στέι ιν δε χοτέλ]
Μένω σε μια πανσιόν. [meno se mia pansion]	**I stay in a hostel.** [άι στέι ιν ε χόστελ]
Νοικιάζω ένα διαμέρισμα. [nikiazo ena diamerisma]	**I rent a flat.** [άι ρεντ ε φλατ]
Μοιράζομαι ένα διαμέρισμα με μερικούς ακόμα ... [mirazome ena diamerisma me merikous akoma]	**I share a flat with some other...** [άι σσέαρ ε φλατ γουίδ σαμ άδερ]
- **φοιτητές / φίλους.** - [fitites / filous]	- **students / friends.** - [στιούντεντς / φρενντς]
- **συναδέλφους.** - [sinadelfous]	- **colleagues.** - [κολίγκς]

ΟΙ ΝΕΕΣ ΓΝΩΡΙΜΙΕΣ – ΟΙ ΣΧΕΣΕΙΣ [i nees gonorimies – i shessis]	**NEW AQUAINTANCES – RELATIONS** [νιού ακουέιτανσις – ριλέισσονς]
- **Έλληνες.** - [elines]	- **Greeks.** - [γκρικς]
- **συμπατριώτες.** - [sibatriotes]	- **compatriots.** - [κομ'πάτριοτς]
Μιλάς Ελληνικά; [milas elinika]	**Do you speak Greek?** [ντου γιού σπικ γκρικ]
Μιλάω λίγα Ελληνικά. [milao liga elinika]	**I speak a little Greek.** [άι σπικ ε λιτλ γκρικ]
Μιλάω πολύ λίγο τη γλώσσα σου. [milao poli ligo ti glossa sou]	**I know very little Greek.** [άι νόου βέρι λιτλ γκρικ]
Ξέρω λίγες Ελληνικές λέξεις. [xero liges elinikes lexis]	**I know very few Greek words.** [άι νόου βέρι φιού γκρικ γουέρντς]
Καταλαβαίνω Ελληνικά, αλλά δεν μπορώ να τα μιλήσω τόσο καλά. [katalaveno elinika, ala den boro na ta milisso tosso kala]	**I understand Greek, but I can't speak it very well.** [άι ανντερστάννт γκρικ, μπατ άι καν'τ σπικ ιτ βέρι γουέλ]
Όχι, δεν μιλάω Ελληνικά. [ohi, den milao elinika]	**No, I don't speak Greek.** [νόου, άι ντον'τ σπικ γκρικ]
Η Ελληνική γλώσσα είναι (πολύ) δύσκολη. [i eliniki glossa ine (poli) diskoli]	**The Greek language is (very) difficult.** [δε γκρικ λάνγκουιτζ ιζ (βέρι) ντίφικαλτ]

ΟΙ ΝΕΕΣ ΓΝΩΡΙΜΙΕΣ – ΟΙ ΣΧΕΣΕΙΣ [i nees gonorimies – i shessis]	**NEW AQUAINTANCES – RELATIONS** [νιού ακουέιτανσις – ριλέισσονς]
Τα Ελληνικά είναι δύσκολα. [ta elinika ine diskola]	**Greek is difficult.** [γκρικ ιζ ντίφικαλτ]
Η προφορά της Ελληνικής γλώσσας είναι δύσκολη. [i profora tis elinikis glossas ine diskoli]	**The pronunciation of the Greek language is difficult.** [δε προνανσιέισσν οβ δε γκρικ λάνγκουιτζ ιζ ντίφικαλτ]
Με καταλαβαίνεις; [me katalavenis]	**Do you understand me?** [ντου γιού αννтерστάννт μι]
Καταλαβαίνεις τι σου λέω; [katalavenis ti sou leo]	**Do you understand what I'm telling you?** [ντου γιού αννтερστάννт γουότ άιμ τέλιν γιού]
Κατάλαβες; [katalaves]	**Did you get it?** [ντιντ γιού γκετ ιτ]
Καταλαβαίνω λίγο. [katalaveno ligo]	**I understand a little.** [άι αννтερστάννт ε λιτλ]
Με συγχωρείτε, αλλά δεν κατάλαβα τίποτα. [me sinhorite, ala den katalava tipota]	**I'm sorry, but I didn' t understand anything.** [άιμ σόρι, μπατ άι ντιντν'τ αννтερστάννт ένιθιν]
Τι είπες; / Τι είπατε; [ti ipes / ti ipate]	**What did you say?** [γουότ ντιντ γιού σέι]
Μη μιλάτε τόσο γρήγορα. Δε σας καταλαβαίνω. [mi milate tosso grigora. de sas katalaveno]	**Don't speak so quickly. I don't understand you.** [ντον'τ σπικ σόου κουίκλι. άι ντον'τ αννтερστάννт γιού]

ΟΙ ΝΕΕΣ ΓΝΩΡΙΜΙΕΣ – ΟΙ ΣΧΕΣΕΙΣ [i nees gonorimies – i shessis]	**NEW AQUAINTANCES – RELATIONS** [νιού ακουέιτανσις – ριλέισσονς]
Μπορείτε να μιλήσετε πιο αργά, παρακαλώ; [borite na milissete pio arga, parakalo]	**Can you speak more slowly, please?** [καν γιού σπικ μορ σλόουλι, πλιζ]
Μπορείτε να επαναλάβετε, παρακαλώ; Δε σας άκουσα / κατάλαβα. [borite na epanalavete, parakalo. de sas akoussa / katalava]	**Can you repeat, please? I didn't hear / understand you.** [καν γιού ρεπίτ, πλιζ. άι ντιντν'τ χίαρ / αννττερστάννт γιού]
Μπορείτε να με βοηθήσετε, παρακαλώ; [borite na me voithissete, parakalo]	**Can you help me, please?** [καν γιού χελπ μι, πλιζ]
Μπορείτε να μου το μεταφράσετε αυτό, παρακαλώ; [borite na mou to metafrassete afto, parakalo]	**Can you translate this for me, please?** [καν γιού τρανσλέιτ δις φορ μι, πλιζ]
Μπορείτε να μου το εξηγήσετε αυτό, παρακαλώ; [borite na mou to exigissete afto, parakalo]	**Can you explain this to me, please?** [καν γιού εξπλέιν δις το μι, πλιζ]
Τι σημαίνει αυτή η λέξη; [ti simeni afti i lexi]	**What does this word mean?** [γουότ νταζ δις γουέρντ μιν]
Πώς λέγεται αυτό στα Ελληνικά; [pos legete afto sta elinika]	**How do you say this in Greek?** [χάου ντου γιού σέι δις ιν γκρικ]

ΟΙ ΝΕΕΣ ΓΝΩΡΙΜΙΕΣ – ΟΙ ΣΧΕΣΕΙΣ [i nees gonorimies – i shessis]	**NEW AQUAINTANCES – RELATIONS** [νιού ακουέιτανσις – ριλέισσονς]
Τι θα κάνετε απόψε; [ti tha kanete apopse]	**What are you doing tonight?** [γουότ αρ γιού ντούιν τουνάιτ]
Θα ήθελα ... / Θα μου άρεσε ... [tha ithela / tha mou aresse]	**I would like ...** [άι γουντ λάικ]
- **να σε ξαναδώ.** - [na se xanado]	- **to see you again.** - [του σι γιού αγκέν]
- **να ξαναβρεθούμε.** - [na xanavrethoume]	- **to meet again.** - [του μιτ αγκέν]
- **να γνωριστούμε καλύτερα.** - [na gnoristoume kalitera]	- **to get to know each other better.** - [του γκετ του νόου ιτσς άδερ μπέτερ]
- **να κάνουμε παρέα.** - [na kanoume parea]	- **to keep company with you.** - [του κιπ κόμ'πανι γουίδ γιού]
Πού θα πάτε απόψε; [pou tha pate apopse]	**Where are you going tonight?** [γουέαρ αρ γιού γκόουιν τουνάιτ]
Πού θα ήθελες να πάμε το βράδυ; [pou tha itheles na pame to vradi]	**Where would you like to go tonight?** [γουέαρ γουντ γιού λάικ του γκόου τουνάιτ]

ΟΙ ΝΕΕΣ ΓΝΩΡΙΜΙΕΣ – ΟΙ ΣΧΕΣΕΙΣ [i nees gonorimies – i shessis]	**NEW AQUAINTANCES – RELATIONS** [νιού ακουέιτανσις – ριλέισσονς]
Πού θες / θα ήθελες να πάμε / να βρεθούμε; [pou thes / tha itheles na pame / na vrethoume]	**Where do you want / would you like to go / to meet?** [γουέαρ ντου γιού γουόν'τ / γουντ γιού λάικ του γκόου / του μιτ]
Θέλεις / Θα ήθελες να πάμε ... [thelis / tha itheles na pame]	**Do you want / would you like to go ...** [ντου γιού γουόν'τ / γουντ γιού λάικ του γκόου]
- **μια βόλτα;** - [mia volta]	- **for a walk?** - [φορ ε γουόκ]
- **για ένα καφέ;** - [gia ena kafe]	- **for a cup of coffee?** - [φορ ε καπ οβ κόφι]
- **για ένα ποτό;** - [gia ena poto]	- **for a drink?** - [φορ ε ντρινκ]
- **για φαγητό;** - [gia fagito]	- **out for dinner?** - [άουτ φορ ντίνερ]
- **για μπάνιο;** - [gia banio]	- **for a swim?** - [φορ ε σουίμ]
- **σινεμά;** - [sinema]	- **to the cinema?** - [του δε σίνεμα]
- **θέατρο;** - [theatro]	- **to the theatre?** - [του δε θίατερ]
- **να δούμε μια παράσταση;** - [na doume mia parastassi]	- **to watch a performance?** - [του γουότς ε περφόρμανς]

ΟΙ ΝΕΕΣ ΓΝΩΡΙΜΙΕΣ – ΟΙ ΣΧΕΣΕΙΣ [i nees gonorimies – i shessis]	**NEW AQUAINTANCES – RELATIONS** [νιού ακουέιτανσις – ριλέισσονς]
Ναι, θέλω / θα το ήθελα. [ne, thelo / tha to ithela]	**Yes, I do / I would.** [γιες, άι ντου / άι γουντ]
Όχι, δε θέλω, ευχαριστώ. [ohi, de thelo, efharisto]	**No, I don't, thank you.** [νόου, άι ντον'τ, θένκιου]
Δεν μπορώ τώρα. Ίσως κάποια άλλη φορά. [den boro tora. issos kapia ali fora]	**I can't now. Some other time maybe.** [άι καν'τ νάου. σαμ άδερ τάιμ μέιμπι]
Θα μπορούσα αύριο το βράδυ. [tha boroussa avrio to vradi]	**Tomorrow night would be convenient.** [τουμόροου νάιτ γουντ μπι κονβίνιεν'τ]
Ευχαριστώ για την πρόσκληση αλλά έχω κάποια δουλειά. [efharisto gia tin prosklissi ala eho kapia doulia]	**Thanks for the invitation but I'm busy.** [θενκς φορ δι ινβιτέισσν μπατ άιμ μπίζι]
Πού θα ήθελες να συναντηθούμε; [pou tha itheles na sinaddithoume]	**Where would you like to meet?** [γουέαρ γουντ γιού λάικ του μιτ]
Πότε θα ήθελες να συναντηθούμε; [pote tha itheles na sinaddithoume]	**When would you like to meet?** [γουέν γουντ γιού λάικ του μιτ]

ΟΙ ΝΕΕΣ ΓΝΩΡΙΜΙΕΣ – ΟΙ ΣΧΕΣΕΙΣ [i nees gonorimies – i shessis]	**NEW AQUAINTANCES – RELATIONS** [νιού ακουέιτανσις – ριλέισσονς]
Θα βρεθούμε ... / Θα συναντηθούμε ... / Θα τα πούμε ... [tha vrethoume / tha sinaddithoume / tha ta poume]	**We'll get together ... / We'll meet ... / See you around ...** [γουίλ γκετ τουγκέδερ / γουίλ μιτ / σι γιού αράουννт]
- **αύριο.** - [avrio]	- **tomorrow.** - [τουμόροου]
- **αργότερα.** - [argotera]	- **later.** - [λέιτερ]
- **σε μια ώρα.** - [se mia ora]	- **in one hour.** - [ιν ουάν άουρ]
- **το βράδυ.** - [to vradi]	- **in the evening.** - [ιν δι ίβνιν]
Θα βρεθούμε έξω; [tha vrethoume exo]	**Shall we meet outside?** [σσαλ γουί μιτ αουτσάιντ]
Θέλεις να έρθω να σε πάρω από το σπίτι σου; [thelis na ertho na se paro apo to spiti sou]	**Do you want me to pick you up from home?** [ντου γιού γουόν'τ μι του πικ γιού απ φρομ χομ]
Θα έρθω να σε πάρω με ... / Έχω... [tha ertho na se paro me / eho]	**I'll pick you up with ... / I've got ...** [άιλ πικ γιού απ γουίδ / άιβ γκοτ]
- **αμάξι / αυτοκίνητο.** - [amaxi / aftokinito]	- **a car.** - [ε καρ]
- **μηχανάκι.** - [mihanaki]	- **a bike.** - [ε μπάικ]

ΟΙ ΝΕΕΣ ΓΝΩΡΙΜΙΕΣ – ΟΙ ΣΧΕΣΕΙΣ [i nees gonorimies – i shessis]	**NEW AQUAINTANCES – RELATIONS** [νιού ακουέιτανσις – ριλέισσονς]
Πες μου ποιο είναι το τηλέφωνο σου, για να ... [pes mou pio ine to tilefono sou, gia na]	**Tell me your phone number, to ...** [τελ μι γιόρ φον νάμμπερ, του]
- **σε πάρω αύριο.** - [se paro avrio]	- **call you tomorrow.** - [κολ γιού τουμόροου]
- **σου τηλεφωνήσω αύριο.** - [sou tilefonisso avrio]	- **phone you tomorrow.** - [φον γιού τουμόροου]
Θα μου δώσεις το τηλέφωνο / κινητό σου; [tha mou dossis to tilefono / kinito sou]	**Will you give me your phone number / your mobile number?** [γουίλ γιού γκιβ μι γιόρ φον νάμμπερ / γιόρ μομπάιλ νάμπερ]
Το τηλέφωνο μου είναι ... [to tilefono mou ine]	**My phone number is ...** [μάι φον νάμμπερ ιζ]
Τι μουσική ακούς / σου αρέσει / προτιμάς; [ti moussiki akous / sou aressi / protimas]	**What kind of music do you listen to / do you like / do you prefer?** [γουότ κάιννт οβ μιούζικ ντου γιού λίσεν του / ντου γιού λάικ / ντου γιού πριφέρ]
Δεν μου αρέσει ... [den mou aressi]	**I don't like ...** [άι ντον'τ λάικ]
Μου αρέσει ... [mou aressi]	**I like ...** [άι λάικ]
- **το χαμόγελο σου.** - [to hamogelo sou]	- **your smile.** - [γιόρ σμάιλ]

ΟΙ ΝΕΕΣ ΓΝΩΡΙΜΙΕΣ – ΟΙ ΣΧΕΣΕΙΣ [i nees gonorimies – i shessis]	**NEW AQUAINTANCES – RELATIONS** [νιού ακουέιτανσις – ριλέισσονς]
- **ο τρόπος που χαμογελάς.** - [o tropos pou hamogelas]	- **the way you smile.** - [δε γουέι γιού σμάιλ]
- **ο τρόπος που περπατάς.** - [o tropos pou perpatas]	- **the way you walk.** - [δε γουέι γιού γουόκ]
- **ο τρόπος που μιλάς.** - [o tropos pou milas]	- **the way you speak.** - [δε γουέι γιού σπικ]
Έχεις ωραία μάτια. [ehis orea matia]	**You have beautiful eyes.** [γιού χαβ μπιούτιφουλ άις]
Σε συμπαθώ. [se sibatho]	**I like you.** [άι λάικ γιού]
Μου αρέσεις (πάρα πολύ). [mou aressis (para poli)]	**I like you (very much).** [άι λάικ γιού (βέρι μάτσς)]
Σε θέλω. [se thelo]	**I want you.** [άι γουόν'τ γιού]
Σε ποθώ. [se potho]	**I want you.** [άι γουόν'τ γιού]
Σ' αγαπώ. [sagapo]	**I love you.** [άι λαβ γιού]
Μ' αγαπάς; [magapas]	**Do you love me?** [ντου γιού λαβ μι]
Αγαπώ τον / την ... [agapo ton / tin]	**I love ...** [άι λαβ]
Είμαι ερωτευμένος, -η με την / τον ... [ime erotevmenos, -i me tin / ton]	**I'm in love with ...** [άιμ ιν λαβ γουίδ]

ΟΙ ΝΕΕΣ ΓΝΩΡΙΜΙΕΣ – ΟΙ ΣΧΕΣΕΙΣ [i nees gonorimies – i shessis]	**NEW AQUAINTANCES – RELATIONS** [νιού ακουέιτανσις – ριλέισσονς]
Σε λατρεύω. [se latrevo]	**I adore you.** [άι αντόρ γιού]
Μωρό μου. [moro mou]	**My darling.** [μάι ντάρλιν]
Θέλω να κάνουμε έρωτα / σεξ. [thelo na kanoume erota / sex]	**I want to make love to you / have sex with you.** [άι γουόν'τ του μέικ λαβ του γιού / χαβ σεξ γουίδ γιού]
Κάνω έρωτα / σεξ. [kano erota / sex]	**I make love / have sex.** [άι μέικ λαβ / χαβ σεξ]
Θέλω να σε φιλήσω. [thelo na se filisso]	**I want to kiss you.** [άι γουόν'τ του κις γιού]
Θέλω να σε χαϊδέψω παντού. [thelo na se haidepso paddou]	**I want to caress your whole body.** [άι γουόν'τ του καρές γιόρ χολ μπόντι]
Θα μου λείψεις. [tha mou lipsis]	**I'll miss you.** [άιλ μις γιού]
Μου έλειψες. [mou elipses]	**I missed you.** [άι μισντ γιού]

ΟΙ ΕΥΧΕΣ [i efhes]	**WISHES** [γουίσσις]
Χρόνια πολλά! [hronia pola]	**Many happy returns of the day!** [μένι χάπι ριτέρνς οβ δε ντέι]
Χρόνια πολλά για τα γενέθλια σου! [hronia pola gia ta genethlia sou]	**Happy birthday!** [χάπι μπέρθντεϊ]
Χιλιόχρονος! [hiliohronos]	**Many happy returns!** [μένι χάπι ριτέρνς]
Χρόνια πολλά για τη γιορτή σου! [hronia pola gia ti giorti sou]	**Happy nameday!** [χάπι νέιμντεϊ]
Να χαίρεσαι τη γιορτή / το όνομα σου. [na heresse ti giorti / to onoma sou]	**Wish you joy for your nameday.** [γουίσς γιού τζόι φορ γιόρ νέιμντεϊ]
Να χαίρεσαι τη γυναίκα / τον άνδρα σου. [na heresse ti gineka / ton andra sou]	**Wish you joy for your wife / husband.** [γουίσς γιού τζόι φορ γιόρ γουάιφ / χάσμπαννT]
Καλή Πρωτοχρονιά! [kali protohronia]	**Happy new year!** [χάπι νιού γίαρ]
Ευτυχισμένος ο καινούργιος χρόνος! [eftihismenos o kenourgios hronos]	**Happy new year!** [χάπι νιού γίαρ]
Ευτυχισμένο το νέο έτος! [eftihismeno to neo etos]	**Happy new year!** [χάπι νιού γίαρ]
Καλή χρονιά! [kali hronia]	**Happy new year!** [χάπι νιού γίαρ]

ΟΙ ΕΥΧΕΣ [i efhes]	**WISHES** [γουίσσις]
Καλά Χριστούγεννα! [kala hristougena]	**Merry Christmas!** [μέρι κρίσμας]
Καλές γιορτές! [kales giortes]	**Happy feast-days!** [χάπι φιστ-ντέιζ]
Καλό Πάσχα! [kalo pasha]	**Happy Easter!** [χάπι ίστερ]
Καλή Ανάσταση! [kali anastassi]	**Happy resurrection!** [χάπι ρεζερέκσσν]
Χριστός Ανέστη! [hristos anesti]	**Christ has risen!** [κράιστ χαζ ράιζεν]
Αληθώς Ανέστη! [alithos anesti]	**Truly he has risen!** [τρούλι χι χαζ ράιζεν]
(Πολλές) Ευχές στον / στην ... [(poles) efhes ston / stin]	**(Many) wishes to…** [(μένι) γουίσσις του]
Τις καλύτερες ευχές μου στον / στην ... [tis kaliteres efhes mou ston / stin]	**My best wishes to…** [μάι μπεστ γουίσσις του]
Εύχομαι να ... [efhome na]	**I wish…** [άι γουίσς]
- **γίνει αυτό που θέλεις.** - [gini afto pou thelis]	- **everything you want to come true.** - [έβριθιν γιού γουόν'τ του καμ τρου]
- **να σου πάνε όλα δεξιά.** - [na sou pane ola dexia]	- **you to be lucky.** - [γιού του μπι λάκι]
(Πίνω) ... [(pino)]	**(I drink)…** [άι ντρινκ]
- **στη φιλία μας!** - [sti filia mas]	- **to our friendship!** - [το άουρ φρέννtσσιπ]

ΟΙ ΕΥΧΕΣ [i efhes]	**WISHES** [γουίσσις]
- **στο γάμο μας!** - [sto gamo mas]	- **to our marriage!** - [του άουρ μάριτζ]
- **στη γνωριμία μας!** - [sti gnorimia mas]	- **to our getting together!** - [του άουρ γκέτιν τουγκέδερ]
- **στην ευτυχία σας!** - [stin eftihia sas]	- **to your happiness!** - [του άουρ χάπινες]
Στην υγειά σας! [stin igia sas]	**Cheers!** [τσσίαρς]
Καλά να περάσεις! [kala na perasis]	**Have a good time!** [χαβ ε γκουντ τάιμ]
Καλή διασκέδαση! [kali diaskedassi]	**Enjoy yourself!** [εντζόι γιορσέλφ]
Καλό ταξίδι! [kalo taxidi]	**Have a nice trip!** [χαβ ε νάις τριπ]
Συγχαρητήρια! [sigharitiria]	**Congratulations!** [κονγκρατσουλέισσνς]
Τα θερμά μου συγχαρητήρια! [ta therma mou sigharitiria]	**My warm congratulations!** [μάι γουόρμ κονγκρατσουλέισσνς]
Τα συγχαρητήρια μου! [ta sigharitiria mou]	**My congratulations!** [μάι κονγκρατσουλέισσνς]
Συλλυπητήρια! [silipitiria]	**My condolences!** [μάι κόνντολενσις]
Τα θερμά μου συλλυπητήρια! [ta therma mou silipitiria]	**My heartfelt sympathy!** [μάι χάρτφελτ σίμ'παθι]
Τα συλλυπητήρια μου! [ta silipitiria mou]	**My condolences!** [μάι κόνντολενσις]

ΟΙ ΕΥΧΕΣ [i efhes]	**WISHES** [γουίσσις]
Καλή όρεξη! [kali orexi]	**Enjoy your meal!** [εντζόι γιόρ μιλ]
Καλή χώνεψη! [kali honepsi]	**Have a nice digestion!** [χαβ ε νάις νταϊτζέσσν] (a greek wish after the meals)
Καλή επιτυχία! [kali epitihia]	**I wish you success!** [άι γουίσς γιού σαξές]
Να ευτυχήσετε! [na eftihissete]	**Be happy!** [μπι χάπι]
Να ζήσετε! [na zissete]	**I wish you to live happily!** [άι γουίσς γιού το λίβ χάπιλι]
Να σας ζήσουν! [na sas zissoun]	**May they live long ever after!** [μέι δέι λιβ λονγκ έβερ άφτερ]
Καλούς απογόνους! [kalous apogonous]	**Have many babies!** [χάβ μένι μπέιμπις]
Ζωή σε λόγου σας! [zoi se logou sas]	**My condolences!** [μάι κόνντολενσις]
Με γεια! [me gia]	(a greek wish said when someone buys something new, meaning «I wish you are well and healthy and have it»)
Περαστικά! / Καλή ανάρρωση! [perastika / kali anarossi]	**Get well soon! / I wish you a speedy recovery!** [γκετ γουέλ σουν / άι γουίσς γιού ε σπίντι ρικάβερι]
Γείτσες! [gitses]	**Bless you!** [μπλεσ γιού]

Η ΠΑΡΑΚΛΗΣΗ – ΟΙ ΕΥΧΑΡΙΣΤΙΕΣ [i paraklissi – i efharisties]	**REQUESTS – THANKS** [ρικουέστς – θενκς]
Ευχαριστώ ... [efharisto]	**Thank you … / thanks …** [θένκιου / θενκς]
- **πάρα πολύ.** - [para poli]	- **very very much.** - [βέρι βέρι ματς]
- **πολύ.** - [poli]	- **very much.** - [βέρι ματς]
- **για τη βοήθεια σας.** - [gia ti voithia sas]	- **for your help.** - [φορ γιόρ χελπ]
- **για τη συμβουλή σας.** - [gia ti simvouli sas]	- **for your advice.** - [φορ γιόρ αντβάις]
- **δε θέλω.** - [de thelo]	- **but I don't.** - [μπατ άι ντον'τ]
- **δε θα πάρω.** - [de tha paro]	- **but I won't take any.** - [μπατ άι γουόν'τ τέικ ένι]
- **επίσης.** - [epissis]	- **too.** - [του]
Είναι πολύ ευγενικό εκ μέρους σας. [ine poli evgeniko ek merous sas]	**It's very caring of you.** [ιτς βέρι κέριν οφ γιού]
Σας είμαι ευγνώμων. [sas ime evgnomon]	**I'm grateful to you.** [άιμ γκρέιτφουλ του γιού]
Δεν είναι τίποτα. [den ine tipota]	**You are welcome.** [γιού αρ γουέλκαμ]
Τίποτα. [tipota]	**Not at all.** [νοτ ατ ολ]
Δεν είναι τίποτα σπουδαίο. [den ine tipota spoudeo]	**Don't mention it.** [ντον'τ μένσσιον ιτ]

Η ΠΑΡΑΚΛΗΣΗ – ΟΙ ΕΥΧΑΡΙΣΤΙΕΣ [i paraklissi – i efharisties]	**REQUESTS – THANKS** [ρικουέστς – θενκς]
Θα μπορούσες να μου κάνεις μια χάρη; [tha borousses na mou kanis mia hari]	**Will you do me a favour?** [γουίλ γιού ντου μι ε φέιβορ]
Θα μπορούσες να με βοηθήσεις μ' αυτό το πρόβλημα; [tha borousses na me voithissis mafto to provlima]	**Would you please help me with it?** [γούντ γιού πλιζ χέλπ μι γουίδ ιτ]
Μπορείτε να με βοηθήσετε παρακαλώ; [borite na me voithissete parakalo]	**Can you help me please?** [καν γιού χελπ μι πλιζ]
Μπορώ να σας απασχολήσω ένα λεπτό; [boro na sas apasholisso ena lepto]	**May I talk to you for a moment?** [μέι άι τοκ του γιού φορ ε μόμεν'τ]
Περάστε, παρακαλώ. [peraste, parakalo]	**Come in, please.** [καμ ιν πλιζ]
Καθίστε, παρακαλώ. [kathiste, parakalo]	**Have a seat, please.** [χαβ ε σιτ πλιζ]

Η ΑΠΟΔΟΧΗ – Η ΑΡΝΗΣΗ [i apodohi – i arnissi]	**ACCEPTANCE – DENIAL** [αξέπτανς – ντινάιαλ]
Ναι [ne]	**Yes** [γιές]
Ναι, παρακαλώ. [ne, parakalo]	**Yes, please.** [γιές πλιζ]
Ναι, ευχαριστώ. [ne, efharisto]	**Yes, thank you.** [γιές θένκιου]
Παρακαλώ! [parakalo]	**You are welcome!** [γιού αρ γουέλκαμ]
Ναι, σας ευχαριστώ πολύ. [ne, sas efharisto poli]	**Yes, thank you very much.** [γιές, θένκιου βέρι ματς]
(Ναι) Ευχαρίστως! [(ne) efharistos]	**(Yes) Gladly!** [(γιές) γκλάντλι]
Με όλη μου την ευχαρίστηση. [me oli mou tin efharistissi]	**My pleasure.** [μάι πλέζζουρ]
Βέβαια! [vevea]	**Of course!** [οφ κορς]
Εντάξει! [eddaxi]	**All right! / O.K.** [ολ ράιτ / οκέι]
Ίσως! / Πιθανόν! [issos / pithanon]	**Maybe! / Probably!** [μέιμπι / πρόπαμπλι]
Συμφωνώ! [simfono]	**I agree!** [άι αγκρί]
Σωστά! [sosta]	**That's right!** [δατς ράιτ]
Φυσικά! [fissika]	**Naturally!** [νάτσουραλι]
Χωρίς αμφιβολία. [horis amfivolia]	**No question about it.** [νο κουέστσσν αμπάουτ ιτ]

Η ΑΠΟΔΟΧΗ – Η ΑΡΝΗΣΗ [i apodohi – i arnissi]	**ACCEPTANCE – DENIAL** [αξέπτανς – ντινάιαλ]
Ορίστε! (παρακαλώ) [oriste (parakalo)]	**There you are.** [δέαρ γιού αρ]
Έχετε δίκιο. [ehete dikio]	**You are right.** [γιού αρ ράιτ]
Με χαρά μου δέχομαι την πρόσκλησή σας. [me hara mou dehome tin prosklissi sas]	**I'm happy to accept your invitation.** [άιμ χάπι του αξέπτ γιόρ ινβιτέισσν]
Δέχομαι! [dehome]	**I accept!** [άι αξέπτ]
Δεν έχω αντίρρηση. [den eho addirissi]	**I have no objection. / That's O.K. with me.** [άι χαβ νο ομπτζέκσσν / δατς οκέι γουίδ μι]
Πολύ καλά! [poli kala]	**Very well!** [βέρι γουέλ]
Όχι [ohi]	**No** [νόου]
Όχι παρακαλώ. [ohi parakalo]	**No please.** [νόου πλιζ]
Όχι, ευχαριστώ. [ohi efharisto]	**No, thank you.** [νόου, θένκιου]
Ποτέ! [pote]	**Never!** [νέβερ]
Δε γίνεται. [de ginete]	**That's not possible.** [δατς νοτ πόσιμπλ]
Λυπάμαι, δεν μπορώ. [lipame den boro]	**I'm sorry, I can't.** [άιμ σόρι άι καν'τ]
Με κανένα τρόπο. [me kanena tropo]	**No way.** [νο γουέι]

Η ΑΠΟΔΟΧΗ – Η ΑΡΝΗΣΗ [i apodohi – i arnissi]	**ACCEPTANCE – DENIAL** [αξέπτανς – ντινάιαλ]
Δυστυχώς, μου είναι αδύνατο. [distihos, mou ine adinato]	**Unfortunately, it's not possible.** [ανφόρτσουνετλι ιτς νοτ πόσιμπλ]
Δυστυχώς πρέπει να αρνηθώ. [distihos prepi na arnitho]	**I' m sorry but I can't accept that.** [άιμ σόρι μπατ άι καν'τ αξέπτ δατ]
Δυστυχώς όχι. [distihos ohi]	**Unfortunately not.** [ανφόρτσουνετλι νοτ]
Δεν είναι αλήθεια. [den ine alithia]	**That's not true.** [δατς νοτ τρου]
Δε συμφωνώ μαζί σου. [de simfono mazi sou]	**I don't agree with you.** [άι ντον'τ αγκρί γουίδ γιού]
Είναι αδύνατο. [ine adinato]	**That's impossible.** [δατς νοτ πόσιμπλ]
Συγγνώμη! / Με συγχωρείτε! [signomi / me sighorite]	**Sorry! / I'm sorry!** [σόρι / άιμ σόρι]
Σας ζητώ συγγνώμη. [sas zito signomi]	**I apologise.** [άι απόλοτζάιζ]
Λυπάμαι! (πολύ) [lipame (poli)]	**I'm (very) sorry.** [άιμ (βέρι) σόρι]
Κρίμα! [krima]	**What a pity!** [γουότ ε πίτι]

Η ΟΙΚΟΓΕΝΕΙΑ – ΟΙ ΣΥΓΓΕΝΕΙΣ [i ikogenia – i siggenis]	**THE FAMILY – THE RELATIVES** [δε φάμιλι – δε ρέλατιβς]
Αγόρι / κορίτσι [agori / koritsi]	**Boy / girl** [μπόι / γκερλ]
Αδελφή / αδερφή [adelfi / aderfi]	**Sister** [σίστερ]
Αδελφός / αδερφός [adelfos / aderfos]	**Brother** [μπράδερ]
Άνδρας / γυναίκα [andras / gineka]	**Man / woman** [μαν / γούμαν]
Ανιψιός, -ά [anipsios, -a]	**Nephew, niece** [νέφιου, νίις]
Ανύπαντρη / εργένισσα [anipaddri / ergenissa]	**Unmarried / single woman** [ανμάριντ / σίνγκλ γούμαν]
Ανύπαντρος / εργένης [anipaddros / ergenis]	**Single / bachelor** [σίνγκλ / μπάτσσελορ]
Αρραβώνας [aravonas]	**Engagement** [ενγκέιτζμεν'τ]
Αρραβωνιαστικός, -ιά [aravoniastikos, -ia]	**Fiancé, fiancée** [φιανσέ]
Γάμος [gamos]	**Marrriage** [μάριτζ]
Γαμπρός / νύφη [gabros / nifi]	**Groom / bride** [γκρουμ / μπράιντ]
Γιος / κόρη [gios / kori]	**Son / daughter** [σαν / ντότερ]
Εγγονός, -ή [eggonos, -i]	**Granson, granddaughter** [γκράνσαν, γκράννττότερ]
Ζευγάρι [zevgari]	**Couple** [καπλ]
Θείος, -α [thios, -a]	**Uncle, aunt** [ανκλ, οντ]

Η ΟΙΚΟΓΕΝΕΙΑ – ΟΙ ΣΥΓΓΕΝΕΙΣ [i ikogenia – i siggenis]	**THE FAMILY – THE RELATIVES** [δε φάμιλι – δε ρέλατιβς]
Κουνιάδος, -α [kouniados, -a]	**Brother, sister in law** [μπράδερ, σίστερ ιν λο]
Μητέρα / μάνα / μαμά [mitera / mana / mama]	**Mother / mum / mammy** [μάδερ / μαμ / μάμι]
Μνηστήρας, μνηστή [mnistiras, mnisti]	**Fiancé, fiancée** [φιανσέ]
Ξάδερφος, -η [xadelfos, -i]	**Cousin** [καζν]
Οικογένεια [ikogenia]	**Family** [φάμιλι]
Παππούς / γιαγιά [papous / giagia]	**Grandfather, grandmother** [γκράνφάδερ, γκράνμάδερ]
Πατέρας / μπαμπάς [pateras / babas]	**Father / daddy** [φάδερ / ντάντι]
Πατριός / μητριά [patrios / mitria]	**Stepfather / stepmother** [στέπφάδερ / στέπμάδερ]
Πεθερικά [petherika]	**Parents in law** [πάρεν'τς ιν λο]
Πεθερός, -ά [petheros, -a]	**Father, mother in law** [φάδερ, μάδερ ιν λο]
Προπάππους / προγιαγιά [propapous / progiagia]	**Great grandfather / grandmother** [γκρέιτ γκράνφάδερ / γκράνμάδερ]
Συγγενείς [siggenis]	**Relatives** [ρέλατιβς]
Σύζυγος [sizigos]	**Husband / wife** [χάζμπαννт / γουάιφ]
Συμπέθερος, -α [sibetheros, -a]	**Relation by marriage** [ριλέισσν μπάι μάριτζ]

Η ΟΙΚΟΓΕΝΕΙΑ – ΟΙ ΣΥΓΓΕΝΕΙΣ [i ikogenia – i siggenis]	**THE FAMILY – THE RELATIVES** [δε φάμιλι – δε ρέλατιβς]
Ποια είναι η οικογενειακή σας κατάσταση; [pia ine i ikogeniaki sas katastasi]	**What's your marital status?** [γουότς γιόρ μάριτλ στάτους]
Είμαι ... [ime]	**I'm...** [άιμ]
- **παντρεμένος.** - [paddremenos]	- **married.** - [μάριντ]
- **αρραβωνιασμένος.** - [aravoniasmenos]	- **engaged.** - [ενγκέιτζντ]
- **χωρισμένος.** - [horismenos]	- **divorced.** - [ντιβόρσντ]
- **εργένης / άγαμος.** - [ergenis / agamos]	- **bachelor / single.** - [μπάτσσελορ / σινγκλ]
Είμαι χήρα. Ο άνδρας μου πέθανε πέρσι. [ime hira. o adras mou pethane persi]	**I'm a widow. My husband died last year.** [άιμ ε γουίντοου. μάι χάζμπαννт ντάιντ λαστ γίαρ]
Έχετε παιδιά; [ehete pedia]	**Have you got any children?** [χαβ γιού γκοτ ένι τσσίλντρεν]
Πόσα παιδιά έχετε; [possa pedia ehete]	**How many children have you got?** [χάου μένι τσσίλντρεν χαβ γιού γκοτ]
Έχουμε δύο, ένα κοριτσάκι και ένα αγοράκι. [ehoume dio, ena koritsaki ke ena agoraki]	**We've got two, a girl and a boy.** [γουίβ γκοτ του ε γκερλ εννт ε μπόι]

ΟΙ ΣΠΟΥΔΕΣ [i spoudes]	**THE STUDIES** [δε στάντις]
Σχολείο [sholio]	**School** [σκουλ]
Δημοτικό [dimotiko]	**Primary school** [πράιμαρι σκουλ]
Νηπιαγωγείο [nipiagogio]	**Nursery school / Kindergarten** [νέρσερι σκουλ / κίνντεργκάρντν]
Γυμνάσιο [gimnassio]	**High school** [χάισκουλ]
Λύκειο [likio]	**Senior high school** [σίνιορ χάισκουλ]
Πανεπιστήμιο / Α.Ε.Ι. [panepistimio / aei]	**University** [γιουνιβέρσιτι]
Τ.Ε.Ι. [tei]	**Technical College** [τέκνικαλ κόλετζ]
Είμαι ... [ime]	**I'm ...** [άιμ]
- **νήπιο.** - [nipio]	- **in the nursery school.** - [ιν δε νέρσερι σκουλ]
- **νηπιαγωγός.** - [nipiagogos]	- **a nursery school teacher.** - [ε νέρσερι σκουλ τίτσσερ]
- **μαθητής.** - [mathitis]	- **pupil / student.** - [πιούπιλ / στιούντεν'τ]
- **δάσκαλος.** - [daskalos]	- **teacher.** - [τίτσσερ]
- **σπουδαστής.** - [spoudastis]	- **student.** - [στιούντεν'τ]
- **φοιτητής.** - [fititis]	- **student.** - [στιούντεν'τ]

ΟΙ ΣΠΟΥΔΕΣ [i spoudes]	**THE STUDIES** [δε στάντις]
- **καθηγητής.** - [kathigitis]	- **high school teacher / professor.** - [χάισκουλ τίτσσερ / προφέσορ]
Όταν μεγαλώσω θέλω να γίνω ... [otan megalosso thelo na gino]	**When I grow up I want to be a(n) ...** [γουέν άι γκρόου απ άι γουόν'τ του μπι ε(ν)]
- **ηλεκτρολόγος.** - [ilektrologos]	- **electrician.** - [ελεκτρίσσν]
- **γιατρός.** - [giatros]	- **doctor.** - [ντόκτορ]
Θέλω να σπουδάσω ... [thelo na spoudasso]	**I want to study to be a ...** [άι γουόν'τ του στάντι το μπι ε]
- **κτηνίατρος.** - [ktiniatros]	- **vet.** - [βετ]
- **μαθηματικός.** - [mathimatikos]	- **mathematician / maths teacher.** - [μαθεματίσσν / μαθς τίτσσερ]
Το Σεπτέμβριο γίνονται οι εγγραφές στο πανεπιστήμιο / στο σχολείο. [to septemvrio ginodde i eggrafes sto panepistimio / sholio]	**You can enrol at the university / school in September.** [γιού καν ενρόλ ατ δε γιουνιβέρσιτι / σκουλ ιν σεπτέμμπρ]
Μέχρι πότε διαρκούν οι εγγραφές; [mehri pote diarkoun i eggrafes]	**Until when may I enrol?** [αντίλ γουέν μέι άι ενρόλ]

ΟΙ ΣΠΟΥΔΕΣ [i spoudes]	**THE STUDIES** [δε στάντις]
Τι χαρτιά χρειάζονται για τις εγγραφές; [ti hartia hriazodde gia tis eggrafes]	**What certificates do you need to be enrolled?** [γουότ σερτίφικέιτς ντου γιού νιντ του μπι ενρόλντ]
Ποια είναι τα υποχρεωτικά και ποια τα προαιρετικά μαθήματα; [pia ine ta ipohreotika ke pia ta proeretika mathimata]	**What are the compulsory subjects and what the electives?** [γουότ αρ δε κομ'πάλσορι σάμπτζεκτς εννт γουότ δε ελέκτιβς]
Σε ποια σχολή θέλετε να γραφτείτε; [se pia sholi thelete na graftite]	**Which school do you want to enrol to?** [γουίτσσ σκουλ ντου γιού γουόν'τ του ενρόλ του]
Θα ήθελα να γραφτώ στην Ιατρική σχολή. [tha ithela na grafto stin iatriki sholi]	**I would like to enrol to Medical school.** [άι γουντ λάικ του ενρόλ του μέντικαλ σκουλ]
Πόσα χρόνια διαρκούν οι σπουδές στην Ιατρική σχολή; [possa hronia diarkoun i spoudes stin iatriki sholi]	**How long do you study to be a doctor?** [χάου λονγκ ντου γιού στάντι το μπι ε ντόκτορ]
Πότε είναι η εξεταστική περίοδος; [pote ine i exetastiki periodos]	**When is the exam period?** [γουέν ιζ δι εγκζάμ πίριοντ]
Οι εξετάσεις είναι ... [i exetassis ine]	**The exams are ...** [δι εγκζάμς αρ]
- **γραπτές.** - [graptes]	- **written.** - [ρίτεν]

ΟΙ ΣΠΟΥΔΕΣ [i spoudes]	**THE STUDIES** [δε στάντις]
- **προφορικές.** - [proforikes]	- **oral.** - [όραλ]
- **στο τέλος κάθε τριμήνου / εξαμήνου.** - [sto telos kathe triminou / examinou]	- **at the end of every quarter / semester.** - [ατ δι εννт οβ έβρι κουόρτερ / σεμέστερ]
Θα ήθελα να παρακολουθήσω προπαρασκευαστικά μαθήματα γλώσσας. [tha ithela na parakolouthisso proparaskevastika mathimata glossas]	**I would like to attend preparatory language classes.** [άι γουντ λάικ το ατένντ πριπαράτορι λάνγκουιτζ κλάσιζ]
Τι συνάλλαγμα χρειάζεται κάθε χρόνο ένας φοιτητής; [ti sinalagma hriazete kathe hrono enas fititis]	**How much currency (money) does a student need every year?** [χάου ματς κάρενσι (μάνι) νταζ στιούντεν'τ νιντ έβρι γίαρ]
Πόσο διαρκούν οι χριστουγεννιάτικες διακοπές; [posso diarkoun i hristougeniatikes diakopes]	**How long does Christmas holiday last?** [χάου λονγκ νταζ κρίσμας χόλιντεϊ λαστ]
Έμεινα στην ίδια τάξη. [emina stin idia taxi]	**I lost a class in school.** [άι λοστ ε κλας ιν σκουλ]
Έμεινα μετεξεταστέος στη / στα ... [emina metexetasteos sti / sta]	**I was referred in ...** [άι γουόζ ριφέρντ ιν]

ΟΙ ΒΡΙΣΙΕΣ [i vrissies]	**INSULTS / CURSES** [ινσόλτς / κέρσιζ]
Αδερφή! [aderfi]	**Sissy! / Poof!** [σίσι / πουφ]
Ανώμαλε! / Ανώμαλος [anomale / anomalos]	**You silly ass! / Abnormal** [γιού σίλι ας / αμπνόρμαλ]
Βλάκα! Βλαμμένο! [vlaka / vlameno]	**Stupid thing!** [στιούπιντ θιν]
Βρισιά / Βρίζω [vrissia / vrizo]	**Curse** [κερς]
Γαϊδούρι, -α [gaidouri, -a]	**Ass, she-ass** [ας, σσι ας]
Ηλίθιε! / Ηλίθιος [ilithie / ilithios]	**Idiot!** [ίντιοτ]
Κερατά! [kerata]	**You cuckold!** [γιού κάκολντ]
Μαλάκας, μαλακισμένη [malakas, malakismeni]	**Jerk! / Silly ass! / Fucking idiot!** [τζερκ / σίλι ας / φάκιν ίντιοτ]
Χαζέ! / Χαζός [haze / hazos]	**Silly thing! / Silly** [σίλι θιν / σίλι]
Καλά χαζός / ηλίθιος είσαι; [kala hazos / ilithios isse]	**Are you silly?** [αρ γιού σίλι]
Δεν πας να πνιγείς; [den pas na pnigis]	**Why don't you hang yourself?** [γουάι ντον'τ γιού χανγκ γιορσέλφ]
Άι πνίξου! [ai pnixou]	**Go hang yourself!** [γκόου χάνγκ γιορσέλφ]
Θα σε πνίξω! [tha se pnixo]	**I'll hang you for all I care!** [άιλ χανγκ γιού φορ ολ άι κερ]
Δεν πας στο διάολο; [den pas sto diaolo]	**Why don't you go to hell?** [γουάι ντον'τ γιού γκόου του χελ]

ΟΙ ΒΡΙΣΙΕΣ [i vrissies]	**INSULTS / CURSES** [ινσόλτς / κέρσιζ]
Άι στο διάολο! [ai sto diaolo]	**Go to hell!** [γκόου του χελ]
Θα σε πάρει ο διάολος! [tha se pari o diaolos]	**Blast you! / Damn you!** [μπλαστ γιού / νταμ γιού]
Δεν πας να γαμηθείς; [den pas na gamithis]	**Go fuck yourself!** [γκόου φακ γιορσέλφ]
Άι γαμήσου! [ai gamissou]	**Fuck you!** [φακ γιού]
Θα σε γαμήσω! [tha se gamisso]	**I'll fuck you!** [άιλ φακ γιού]
Γαμώτο! [gamoto]	**Fuck! / Shit!** [φακ / σσιτ]
Δεν πας να χεστείς! [den pas na hestis]	**Why don't you piss off!** [γουάι ντον'τ γιού πις οφ]
Άι χέσου! [ai hesou]	**Piss off!** [πις οφ]
Χέστηκα! [hestika]	**I don't give a fuck!** [άι ντον'τ γκιβ ε φακ]
Της μάνας / θείας σου! [tis manas / thias sou] (δεν υπάρχει στην αγγλική γλώσσα)	**Your mother's / aunt's (pussy)!** [γιόρ μάδερς / ον'τς (πούσι)] (extremely vulgar language)
Το μουνί της μάνας σου! [to mouni tis manas sou] (δεν υπάρχει στην αγγλική γλώσσα)	**Your mother's pussy!** [γιόρ μάδερς πούσι] (extremely vulgar language)
Πουτάνα! [poutana]	**Whore! / Harlot!** [χορ / χάρλοτ]
Σκατά! [skata]	**Shit!** [σσιτ]
Τα' κανα σκατά! [takana skata]	**I made a mess!** [άι μέιντ ε μες]

ΤΑ ΕΠΑΓΓΕΛΜΑΤΑ [ta epaggelmata]	**THE JOBS** [δε τζομπς]
Αγρότης [agrotis]	**Farmer** [φάρμερ]
Αρχαιολόγος [arheologos]	**Archeologist** [αρκεόλοτζιστ]
Αρχιτέκτονας [arhitektonas]	**Architect** [άρκιτεκτ]
Αστροναύτης [astronaftis]	**Astronaut** [άστρονοτ]
Δακτυλογράφος [daktilografos]	**Typist** [τάιπιστ]
Δερματολόγος [dermatologos]	**Dermatologist** [ντερματόλοτζιστ]
Δημοσιογράφος [dimossiografos]	**Reporter** [ριπόρτερ]
Δημόσιος υπάλληλος [dimossios ipalilos]	**Civil servant** [σίβιλ σέρβαν'τ]
Διακοσμητής [diakosmitis]	**Decorator** [ντεκορέιτορ]
Διερμηνέας [diermineas]	**Interpreter** [ιντέρπριτερ]
Δικαστής [dikastis]	**Judge** [τζατζ]
Εκδότης [ekdotis]	**Publisher** [πάμπλισσρ]
Ελαιοχρωματιστής [eleohromatistis]	**Painter** [πέιν'τερ]
Έμπορος [eboros]	**Merchant / tradesman** [μέρτσσαν'τ / τρέιντσμαν]
Επιπλοποιός [epiplopios]	**Cabinet-maker** [κάμπινετ μέικερ]

ΤΑ ΕΠΑΓΓΕΛΜΑΤΑ [ta epaggelmata]	**THE JOBS** [δε τζομπς]
Εργάτης [ergatis]	**Worker** [γουέρκερ]
Ζαχαροπλάστης [zaharoplastis]	**Confectioner** [κονφέκσιονερ]
Ηθοποιός [ithopios]	**Actor, actress** [άκτορ, άκτρες]
Ηλεκτρολόγος [ilektrologos]	**Electrician** [ελεκτρίσσν]
Καθαρίστρια [katharistria]	**Cleaner** [κλίνερ]
Καθηγητής [kathigitis]	**Teacher / professor** [τίτσσερ / προφέσορ]
Κηπουρός [kipouros]	**Gardener** [γκάρντνερ]
Κομμωτής [komotis]	**Hairdresser** [χερντρέσερ]
Κουρέας [koureas]	**Barber** [μπάρμπερ]
Κτηνίατρος [ktiniatros]	**Vet** [βετ]
Λογιστής [logistis]	**Accountant** [ακάουν'ταν'τ]
Μάγειρας [magiras]	**Cook** [κουκ]
Μαθηματικός [mathimatikos]	**Mathematician** [μαθεματίσσν]
Μηχανικός αυτοκινήτου [mihanikos aftokinitou]	**Mechanic** [μεκάνικ]
Ναυτικός [naftikos]	**Sailor** [σέιλορ]

ΤΑ ΕΠΑΓΓΕΛΜΑΤΑ [ta epaggelmata]	**THE JOBS** [δε τζομπς]
Νοσοκόμος [nossokomos]	**Nurse** [νερς]
Οδηγός [odigos]	**Driver** [ντράιβερ]
Οικοδόμος [ikodomos]	**Builder** [μπίλντερ]
Παθολόγος [pathologos]	**General practitioner (GP)** [τζένεραλ πρακτίσσονερ (τζι πι)]
Παιδίατρος [pediatros]	**Paediatrician** [πεντιατρίσσν]
Πιλότος [pilotos]	**Pilot** [πάιλοτ]
Πωλητής [politis]	**Salesman** [σέιλζμαν]
Σκηνοθέτης [skinothetis]	**Director** [νταιρέκτορ]
Σκουπιδιάρης [skoupidiaris]	**Dustman** [ντάστμαν]
Συγγραφέας [sigrafeas]	**Writer** [ράιτερ]
Συμβολαιογράφος [simvoleografos]	**Notary** [νόουταρι]
Ταχυδρόμος [tahidromos]	**Postman** [πόουστμαν]
Τραγουδιστής [tragoudistis]	**Singer** [σίνγκερ]
Υδραυλικός [idravlikos]	**Plumber** [πλάμερ]
Υποδηματοποιός [ipodimatopios]	**Shoe-maker** [σσου μέικερ]

ΤΑ ΕΠΑΓΓΕΛΜΑΤΑ [ta epaggelmata]	**THE JOBS** [δε τζομπς]
Φαρμακοποιός [farmakopios]	**Druggist** [ντράγκιστ]
Φύλακας [filakas]	**Attendant** [ατένντaν'τ]
Φυσικός [fissikos]	**Physicist** [φίζισιστ]
Φωτογράφος [fotografos]	**Photographer** [φοτόγκραφερ]
Χασάπης [hassapis]	**Butcher** [μπούτσσρ]
Χειρούργος [hirourgos]	**Surgeon** [σερτζν]
Χρυσοχόος [hrissohoos]	**Jeweller** [τζουέλερ]
Ψαράς [psaras]	**Fisherman** [φίσσερμαν]
Ποιο είναι το επάγγελμα σου; [pio ine to epaggelma sou]	**What's your job? / What do you do?** [γουότς γιόρ τζαμπ / γουότ ντου γιού ντου]
Πού δουλεύεις / εργάζεσαι; [pou doulevis / ergazesse]	**Where do you work?** [γουέρ ντου γιού γουέρκ]
Δουλεύω / εργάζομαι ... (μέρος) [doulevo / ergazome … (meros)]	**I work ... (place)** [άι γουέρκ … (πλέις)]
- **σε μια καφετέρια / ταβέρνα.** - [se mia kafeteria / taverna]	- **in a cafeteria / tavern.** - [ιν ε καφιτίρια / τάβερν]

ΤΑ ΕΠΑΓΓΕΛΜΑΤΑ [ta epaggelmata]	**THE JOBS** [δε τζομπς]
- **σε ένα γραφείο.** - [se ena grafio]	- **in an office** - [ιν εν όφις]
- **στον Πειραιά.** - [ston pirea]	- **in Piraeus.** - [ιν πάιρους]
Δουλεύω / εργάζομαι σαν ... (επάγγελμα) [doulevo / ergazome san … (epaggelma)]	**I work as a(n) ... (profession)** [άι γουέρκ αζ α(ν) … (προφέσσν)]
- **γραμματέας.** - [gramateas]	- **secretary.** - [σέκρετέρι]
- **σερβιτόρος.** - [servitoros]	- **waiter.** - [γουέιτερ]
Τι ωράριο έχεις; [ti orario ehis]	**What are your working hours?** [γουότ αρ γιόρ γουέρκιν άουαρς]
Ποιο είναι το ωράριο σου; [pio ine to orario sou]	**What are your working hours?** [γουότ αρ γιόρ γουέρκιν άουαρς]
Πόσες ώρες δουλεύεις; [posses ores doulevis]	**How many hours do you work?** [χάου μένι άουαρς ντου γιού γουέρκ]
Δουλεύω από τις ... ως τις ... [doulevo apo tis … os tis]	**I work from … to …** [άι γουέρκ φρομ … του]
Δουλεύω 8 ώρες κάθε μέρα. [doulevo okto ores kathe mera]	**I work eight hours a day.** [άι γουέρκ έιτ άουαρς ε ντέι]

ΤΑ ΕΠΑΓΓΕΛΜΑΤΑ [ta epaggelmata]	**THE JOBS** [δε τζομπς]
Το σαββατοκύριακο δε δουλεύω. [to savatokiriako den doulevo]	**I don't work during the weekend.** [άι ντον'τ γουέρκ ντιούριν δε γουίκεννт]
Έχω ρεπό. [eho repo]	**I've got a day off.** [άιβ γκοτ ε ντέι οφ]
Πότε έχεις άδεια; [pote ehis adia]	**When is your leave?** [γουέν ιζ γιόρ λιβ]
Τον Αύγουστο θα πάρω την άδεια μου. [ton avgousto tha paro tin adia mou]	**I'll take my leave in August.** [άιλ τέικ μάι λιβ ιν όγκοστ]
Πόσα λεφτά παίρνεις / βγάζεις / σου δίνουν; [possa lefta pernis / vgazis / sou dinoun]	**How much money do you earn?** [χάου ματς μάνι ντου γιού ερν]
Τι μισθό παίρνεις; [ti mistho pernis]	**What's your salary?** [γουότς γιόρ σάλαρι]
Τι μεροκάματο παίρνεις / κερδίζεις; [ti merokamato pernis / kerdizis]	**What's your wages?** [γουότς γιόρ γουέιτζς]
Παίρνω / κερδίζω λίγα / πολλά λεφτά. [perno / kerdizo liga / pola lefta]	**I earn little / much money.** [άι ερν λιτλ / ματσς μάνι]
Θέλω να (σας) ζητήσω αύξηση. [thelo na (sas) zitisso afxissi]	**I want to ask for a raise.** [άι γουόν'τ του ασκ φορ ε ρέιζ]

ΤΑ ΕΠΑΓΓΕΛΜΑΤΑ [ta epaggelmata]	**THE JOBS** [δε τζομπς]
Θέλω να (σας) ζητήσω πιο πολλά λεφτά. [thelo na (sas) zitisso pio pola lefta]	**I want to ask more money.** [άι γουόν'τ του ασκ μορ μάνι]
Πράσινη κάρτα. [prassini karta]	**Green card.** [γκριν καρντ]

ΟΙ ΑΡΙΘΜΟΙ [i arithmi]	**THE NUMBERS** [δε νάμμπερς]
Αφαίρεση / Αφαιρώ [aferessi / afero]	**Abstruction / Abstruct** [αμποτράκσον / αμποτράκτ]
Μείον [mion]	**Minus** [μάινους]
Διαίρεση / Διαιρώ [dieressi / diero]	**Division / Divide** [ντιβίζζν / ντιβάιντ]
Δια [dia]	**By** [μπάι]
Πολλαπλασιασμός [polaplassiasmos]	**Multiplication** [μαλτιπλικέισσν]
Πολλαπλασιάζω [polaplassiazo]	**Multiply** [μάλτιπλάι]
Επί [epi]	**Times** [τάιμς]
Πρόσθεση [prosthessi]	**Addition** [αντίσσν]
Προσθέτω / Συν [prostheto / sin]	**Add / Plus** [αντ / πλας]
Ίσον [isson]	**Equals** [ίκουαλς]
Αριθμητής [arithmitis]	**Numerator** [νιουμερέιτορ]
Παρονομαστής [paronomastis]	**Denominator** [ντινομινέιτορ]
Κλάσμα [klasma]	**Fraction** [φρακσσν]
Μετράω [metrao]	**Count** [κάουντ]
Σύνολο [sinolo]	**Sum / Total** [σαμ / τόταλ]

ΑΠΟΛΥΤΑ ΑΡΙΘΜΗΤΙΚΑ [apolita arithmitika]	**CARDINAL NUMBERS** [κάρντιναλ νάμμπερς]
0. μηδέν [miden]	**zero** [ζίροου]
1. ένα [ena]	**one** [ουάν]
2. δύο [dio]	**two** [του]
3. τρία [tria]	**three** [θρι]
4. τέσσερα [tessera]	**four** [φορ]
5. πέντε [pedde]	**five** [φάιβ]
6. έξι [exi]	**six** [σιξ]
7. εφτά [efta]	**seven** [σέβεν]
8. οκτώ [okto]	**eight** [έιτ]
9. εννιά [enia]	**nine** [νάιν]
10. δέκα [deka]	**ten** [τεν]
11. ένδεκα [endeka]	**eleven** [ιλέβεν]
12. δώδεκα [dodeka]	**twelve** [τουέλβ]
13. δεκατρία [dekatria]	**thirteen** [θερτίν]
14. δεκατέσσερα [dekatessera]	**fourteen** [φορτίν]

ΑΠΟΛΥΤΑ ΑΡΙΘΜΗΤΙΚΑ [apolita arithmitika]	**CARDINAL NUMBERS** [κάρντιναλ νάμμπερς]
15. δεκαπέντε [dekapedde]	**fifteen** [φιφτίν]
16. δεκαέξι [dekaexi]	**sixteen** [σιξτίν]
17. δεκαεφτά [dekaefta]	**seventeen** [σεβεν'τίν]
18. δεκαοχτώ [dekaohto]	**eighteen** [εϊτίν]
19. δεκαεννιά [dekaenia]	**nineteen** [ναϊν'τίν]
20. είκοσι [ikossi]	**twenty** [τουέν'τι]
21. είκοσι ένα [ikossi ena]	**twenty-one** [τουέν'τι ουάν]
30. τριάντα [triadda]	**thirty** [θέρτι]
40. σαράντα [saradda]	**forty** [φόρτι]
50. πενήντα [penidda]	**fifty** [φίφτι]
60. εξήντα [exidda]	**sixty** [σίξτι]
70. εβδομήντα [evdomidda]	**seventy** [σέβεν'τι]
80. ογδόντα [ogdodda]	**eighty** [έιτι]
90. ενενήντα [enenidda]	**ninety** [νάιν'τι]
100. εκατό [ekato]	**a hundred** [ε χάννντρεντ]

ΑΠΟΛΥΤΑ ΑΡΙΘΜΗΤΙΚΑ [apolita arithmitika]	**CARDINAL NUMBERS** [κάρντιναλ νάμμπερς]
101. εκατόν ένα. [ekaton ena]	**a hundred and one.** [ε χάννтρεντ εννт ουάν]
110. εκατό δέκα. [ekato deka]	**a hundred and ten.** [ε χάννтρεντ εννт тεν]
200. διακόσια [diakossia]	**two-hundred** [тου χάννтρεντ]
300. τριακόσια [triakossia]	**three-hundred** [θρι χάννтρεντ]
400. τετρακόσια [tetrakossia]	**four-hunded** [φορ χάννтρεντ]
500. πεντακόσια [peddakossia]	**five-hundred** [φάιβ χάννтρεντ]
600. εξακόσια [exakossia]	**six-hundred** [σιξ χάννтρεντ]
700. εφτακόσια [eftakossia]	**seven-hundred** [σέβεν χάννтρεντ]
800. οκτακόσια [oktakossia]	**eight-hundred** [έιт χάννтρεντ]
900. εννιακόσια [eniakossia]	**nine-hundred** [νάιν χάννтρεντ]
1.000. χίλια [hilia]	**a thousand** [ε θάουζαν'τ]
2.000. δύο χιλιάδες. [dio hiliades]	**two-thousand.** [тου θάουζαν'τ]
10.000. δέκα χιλιάδες. [deka hiliades]	**ten-thousand.** [тεν θάουζαν'τ]
100.000. εκατό χιλιάδες. [ekato hiliades]	**a hundred-thousand.** [ε χάννтρετ θάουζαν'τ]
1.000.000. ένα εκατομμύριο. [ena ekatomirio]	**a million.** [ε μίλιον]
1.000.000.000. ένα δισεκατομμύριο. [ena dissekatomirio]	**a billion.** [ε μπίλιον]

ΤΑΚΤΙΚΑ ΑΡΙΘΜΗΤΙΚΑ [taktika arithmitika]	**ORDINAL NUMBERS** [όρντιναλ νάμμπερς]
1^{ος}. πρώτος [protos]	**First** [φερστ]
2^{ος}. δεύτερος [defteros]	**Second** [σέκοννт]
3^{ος}. τρίτος [tritos]	**Third** [θερντ]
4^{ος}. τέταρτος [tetartos]	**Fourth** [φορθ]
5^{ος}. πέμπτος [pemptos]	**Fifth** [φιφθ]
6^{ος}. έκτος [ektos]	**Sixth** [σιξθ]
7^{ος}. έβδομος [evdomos]	**Seveth** [σέβενθ]
8^{ος}. όγδοος [ogdoos]	**Eighth** [έιτθ]
9^{ος}. ένατος [enatos]	**Ninth** [νάινθ]
10^{ος}. δέκατος [dekatos]	**Tenth** [τενθ]
11^{ος}. ενδέκατος [endekatos]	**Eleventh** [ιλέβενθ]
12^{ος}. δωδέκατος [dodekatos]	**Twelfth** [τουέλφθ]
13^{ος}. δέκατος τρίτος [dekatos tritos]	**Thirteenth** [θερτίνθ]
14^{ος}. δέκατος τέταρτος [dekatos tetartos]	**Fourteenth** [φορτίνθ]
15^{ος}. δέκατος πέμπτος [dekatos pemptos]	**Fifteenth** [φιφτίνθ]

ΤΑΚΤΙΚΑ ΑΡΙΘΜΗΤΙΚΑ [taktika arithmitika]	**ORDINAL NUMBERS** [όρντιναλ νάμμπερς]
16^{ος}. δέκατος έκτος [dekatos ektos]	**Sixteenth** [σιξτίνθ]
17^{ος}. δέκατος έβδομος [dekatos evdomos]	**Seventeenth** [σενεν'τίνθ]
18^{ος}. δέκατος όγδοος [dekatos ogdoos]	**Eighteenth** [ειτίνθ]
19^{ος}. δέκατος ένατος [dekatos enatos]	**Nineteenth** [ναϊν'τίνθ]
20^{ος}. εικοστός [ikostos]	**Twentieth** [τουέν'τιεθ]
21^{ος}. εικοστός πρώτος [ikostos protos]	**Twenty-first** [τουέν'τι φέρστ]
30^{ος}. τριακοστός [triakostos]	**Thirtieth** [θέρτιθ]
40^{ος}. τεσσαρακοστός [tessarakostos]	**Fortieth** [φόρτιθ]
50^{ος}. πεντηκοστός [peddikostos]	**Fiftieth** [φίφτιθ]
60^{ος}. εξηκοστός [exikostos]	**Sixtieth** [σίξτιθ]
100^{ος}. εκατοστός [ekatostos]	**Hundredth** [χάντρεντθ]
1.000^{ος}. χιλιοστός [hiliostos]	**Thousandth** [θάουσαντθ]

Ο ΧΡΟΝΟΣ [o hronos]	**TIME WORDS** [τάιμ γουέρντς]
(Η)μέρα / Νύχτα [imera / nihta]	**Day / Night** [ντέι / νάιτ]
Πρωί / Μεσημέρι [proi / messimeri]	**Morning / Noon** [μόρνιν / νουν]
Απόγευμα / Βράδυ [apogevma / vradi]	**Afternoon / Evening** [άφτερνουν / ίβνιν]
Σήμερα / Αύριο [simera / avrio]	**Today / Tomorrow** [τουντέι / τουμόροου]
Μεθαύριο [methavrio]	**Day after tomorrow** [ντέι άφτερ τουμόροου]
(Ε)χθές / Προχθές [(e)hthes / prohthes]	**Yesterday / The day before yesterday** [γιέστερντέι / δε ντέι μπιφόρ γιέστερντέι]
Παρόν / Παρελθόν [paron / parelthon]	**Present / Past** [πρέζεν'τ / παστ]
Μέλλον [melon]	**Future** [φιούτσερ]
Τώρα [tora]	**Now** [νάου]
Γρήγορα [grigora]	**Quickly** [κουίκλι]
(Πιο) νωρίς. [(pio) noris]	**Early / earlier** [έρλι / έρλιερ]
(Είναι) νωρίς / αργά. [(ine) noris / arga]	**(It's) early / late.** [(ιτς) έρλι / λέιτ]
Πριν λίγο. [prin ligo]	**Some time before.** [σαμ τάιμ μπιφόρ]
Σε λίγο. [se ligo]	**Soon** [σουν]

Ο ΧΡΟΝΟΣ [o hronos]	**TIME WORDS** [τάιμ γουέρντς]
Αργότερα [argotera]	**Later** [λέιτερ]
Πάντα! / Ποτέ! [padda / pote]	**Always! / Never!** [όλγουεϊζ / νέβερ]
Πότε ...; [pote]	**When ...?** [γουέν]
Φέτος [fetos]	**This year.** [δις γίαρ]
Του χρόνου. [tou hronou]	**Next year.** [νεξτ γίαρ]
Πέρσι / πέρυσι [persi / perissi]	**Last year.** [λαστ γίαρ]
Πριν ένα χρόνο. [prin ena hrono]	**A year ago.** [ε γίαρ αγκόου]
Σε μια ημέρα / εβδομάδα. [se mia imera / evdomada]	**In a day / week.** [ιν ε ντέι / γουίκ]
Μετά από ένα χρόνο. [meta apo ena hrono]	**After a year.** [άφτερ ε γίαρ]
Μέχρι / ως τις 10 Ιανουαρίου. [mehri / os tis deka ianouariou]	**Until January 10.** [αν'τίλ τζάνιουαρι τεν]
Πόσες του μηνός έχουμε (σήμερα); [posses tou minos ehoume (simera)]	**What's the date today?** [γουότς δε ντέιτ τουντέι]
Τι ημερομηνία έχουμε; [ti imerominia ehoume]	**What's the date today?** [γουότς δε ντέιτ τουντέι]
Τι χρονολογία έχουμε; [ti hronologia ehoume]	**What's the year?** [γουότς δε γίαρ]

Η ΗΛΙΚΙΑ [i ilikia]	**THE AGE** [δι έιτζ]
Πόσων χρονών / ετών είσαι; [posson hronon / eton isse]	**How old are you?** [χάου ολντ αρ γιού]
Είμαι ... [ime]	**I'm ...** [άιμ]
- **είκοσι χρονών.** - [ikossi hronon]	- **twenty years old.** - [τουέν'τι γίαρς ολντ]
- **ανήλικος.** - [anilikos]	- **a teenager.** - [ε τινέιτζερ]
- **ενήλικος.** - [enilikos]	- **an adult.** - [αν άντολτ]
- **μεγαλύτερος από τον Κώστα.** - [megaliteros apo ton kosta]	- **older than Kostas.** - [όλντερ δαν κόστας]
- **μικρότερος από τη Μαρία.** - [mikroteros apo ti maria]	- **younger than Mary.** - [γιάνγκερ δαν μέρι]
- **νεώτερος από τον / την ...** - [neoteros apo ton / tin]	- **younger than ...** - [γιάνγκερ δαν]
Δείχνεις (πολύ) νεώτερος. [dihnis (poli) neoteros]	**You look (much) younger.** [γιού λουκ (ματς) γιάνγκερ]
Πότε γεννήθηκες; [pote genithikes]	**When is your birthday?** [γουέν ιζ γιόρ μπέρθντεϊ]
Πότε είσαι γεννημένος; [pote isse genimenos]	**When is your birthday?** [γουέν ιζ γιόρ μπέρθντεϊ]
Γεννήθηκα στις 5 Φεβρουαρίου 1942. [genithika stis pedde fevrouariou hilia eniakossia saradda dio]	**I was born on February 5, 1942.** [άι γουόζ μπορν ον φέμπρουαρι φάιβ, ναιν'τίν φόρτι του]

Η ΗΛΙΚΙΑ [i ilikia]	**THE AGE** [δι έιτζ]
Έχουμε την ίδια περίπου ηλικία. [ehoume tin idia peripou ilikia]	**We are about the same age.** [γουί αρ αμπάουτ δε σέιμ έιτζ]
Τι ηλικία έχει ...; [ti ilikia ehi]	**How old is ...?** [χάου ολντ ιζ]
- **αυτός, -η;** - [aftos, -i]	- **he, she?** - [χι, σσι]
- **αυτό το κτίριο;** - [afto to ktirio]	- **this building?** - [δις μπίλντιν]
Πόσο παλιό είναι ...; [posso palio ine]	**How old is ...?** [χάου ολντ ιζ]
Φέτος κλείνω / συμπληρώνω τα δέκα οκτώ. [fetos klino / siblirono ta deka okto]	**This year I'll be eighteen years old.** [δις γίαρ άιλ μπι ὲιτίν γίαρς ολντ]
Φέτος θα γίνω είκοσι χρονών. [fetos tha gino ikossi hronon]	**I'll be twenty this year.** [άιλ μπι τουέν'τι δις γίαρ]
Δεν έκλεισα ακόμα τα δέκα οκτώ. [den eklissa akoma ta deka okto]	**I'm not eighteen yet.** [άιμ νοτ ειτίν γιέτ]

Η ΩΡΑ [i ora]	**THE TIME** [δε τάιμ]
Δευτερόλεπτο [defterolepto]	**Second** [σέκονντ]
Λεπτό [lepto]	**Minute** [μίνιτ]
Μισή ώρα. [missi ora]	**Half hour.** [χαφ άουαρ]
Τι ώρα είναι / έχεις; [ti ora ine / ehis]	**What time is it?** [γουότ τάιμ ιζ ίτ]
(Η ώρα) είναι ... [(i ora) ine]	**(The time / it) is …** [(δε τάιμ / ιτ) ιζ]
- **5 και 10 (λεπτά).** - [pedde ke deka (lepta)]	- **10 past 5.** - [τεν παστ φάιβ]
- **5 παρά 10 (λεπτά).** - [pedde para deka (lepta)]	- **10 to 5.** - [τεν του φάιβ]
- **5 και 15 / τέταρτο.** - [pedde ke dekapedde / tetarto]	- **fifteen minutes / a quarter past 5.** - [φιφτίν μίνιτς / ε κουόρτερ παστ φάιβ]
- **5 παρά 15 / τέταρτο.** - [pedde para dekapedde / tetarto]	- **fifteen minutes / a quarter to 5.** - [φιφτίν μίνιτς / ε κουόρτερ του φάιβ]
- **5 και μισή.** - [pedde ke missi]	- **half past 5.** - [χαφ παστ φάιβ]
- **12 το μεσημέρι.** - [dodeka to messimeri]	- **12 noon.** - [τουέλβ νουν]
- **12 τα μεσάνυχτα.** - [dodeka ta messanihta]	- **12 midnight.** - [τουέλβ μιντνάιτ]
- **5 (ακριβώς).** - [pedde (akrivos)]	- **five (o' clock / sharp.)** - [φάιβ (ο κλοκ / σσαρπ)]

Η ΩΡΑ [i ora]	**THE TIME** [δε τάιμ]
- **προ μεσημβρίας / π.μ.** - [pro mesimvrias / pi. mi]	- **ante meridiem / a.m.** - [άν'τε μερίντιεμ / έι. εμ]
- **μετά μεσημβρίαν / μ.μ.** - [meta mesimvrian / mi. mi]	- **post meridiem / p.m.** - [ποστ μερίντιεμ / πι. εμ]
Λυπάμαι αλλά δεν έχω ρολόι. [lipame ala den eho roloi]	**I'm sorry, but I don't have a watch.** [άιμ σόρι, μπατ άι ντον'τ χαβ ε γουότς]
Τι ώρα ... [ti ora]	**What time ...** [γουότ τάιμ]
- **ανοίγει;** - [anigi]	- **does it open?** - [νταζ ιτ όπεν]
- **κλείνει;** - [klini]	- **does it close?** - [νταζ ιτ κλόουζ]
- **αρχίζει;** - [arhizi]	- **does it start?** - [νταζ ιτ σταρτ]
- **τελειώνει;** - [telioni]	- **does it finish?** - [νταζ ιτ φίνισς]
- **έρχεται;** - [erhete]	- **does he / she come?** - [νταζ χι / σσι καμ]
- **φεύγει;** - [fevgi]	- **does he / she leave?** - [νταζ χι / σσι λιβ]
Έρχεται μεταξύ πέντε και έξι η ώρα. [erhete metaxi pedde ke exi i ora]	**He / she comes between 5 and 6 o' clock.** [χι / σσι καμς μπιτουίν φάιβ εννт σιξ ο κλοκ]
Όχι πριν τις 5 η ώρα. [ohi prin tis pedde i ora]	**Not before 5 o' clock.** [νοτ μπιφόρ φάιβ ο κλοκ]
Περίπου στις πέντε. [peripou stis pedde i ora]	**Around 5 o' clock.** [αράουννт φάιβ ο κλοκ]
Γύρω στις πέντε η ώρα. [giro stis pedde i ora]	**Around 5 o' clock.** [αράουννт φάιβ ο κλοκ]

Η ΩΡΑ [i ora]	**THE TIME** [δε τάιμ]
Από τις ... ως τις ... η ώρα. [apo tis … os tis … i ora]	**From … to … o' clock.** [φρομ … του … ο κλοκ]
Πόση ώρα θέλεις / χρειάζεσαι ...; [possi ora thelis / hriazesse]	**How much time do you need …?** [χάου ματς τάιμ ντου γιού νιντ]
Ωροδείχτης [orodihtis]	**Hour-hand** [άουαρ χαννт]
Λεπτοδείχτης [leptodihtis]	**Minute-hand** [μίνιτ χάννт]
Κουρδίζω [kourdizo]	**Wind** [γουάιννт]
Το ρολόι μου ... [to roloi mou]	**My watch …** [μάι γουότς]
- **σταμάτησε / χάλασε.** - [stamatisse / halasse]	- **stopped / failed.** - [στοπντ / φέιλντ]
- **πάει μπροστά / πίσω.** - [pai brosta / pisso]	- **goes fast / slow.** - [γκόουζ φαστ / σλόου]
Μπορείτε να μου το φτιάξετε, παρακαλώ; [borite na mou to ftiaxete, parakalo]	**Can you fix it, please?** [καν γιού φιξ ιτ πλιζ]
Πότε θα είναι έτοιμο; [pote tha ine etimo]	**When will it be ready?** [γουέν γουίλ ιτ μπι ρέντι]
Πόσο θα στοιχίσει η επιδιόρθωση; [posso tha stihissi i epidiorthossi]	**How much will it cost to fix it?** [χάου ματς γουίλ ιτ κοστ του φιξ ιτ]
Πόσο κάνει; [posso kani]	**How much is it?** [χάου ματς ιζ ιτ]
Πόσο θα κοστίσει; [posso tha kostisi]	**How much does it cost?** [χάου ματς νταζ ιτ κοστ]

Η ΕΒΔΟΜΑΔΑ [i evdomada]	**THE WEEK** [δε γουίκ]
Τι ημέρα είναι σήμερα; [ti imera ine simera]	**What day is it today?** [γουότ ντέι ιζ ιτ τουντέι]
Τι μέρα (της εβδομάδος) έχουμε; [ti mera (tis evdomados) ehoume]	**What day (of the week) is it today?** [γουότ ντέι (οβ δε γουίκ) ιζ ιτ τουντέι]
Σήμερα είναι ... [simera ine]	**Today it's ...** [τουντέι ιτς]
- **Δευτέρα.** - [deftera]	- **Monday.** - [μάνντεϊ]
- **Τρίτη.** - [triti]	- **Tuesday.** - [τιούζντεϊ]
- **Τετάρτη.** - [tetarti]	- **Wednesday.** - [γουένζντεϊ]
- **Πέμπτη.** - [pempti]	- **Thursday.** - [θέρζντεϊ]
- **Παρασκευή.** - [paraskevi]	- **Friday.** - [φράιντεϊ]
- **Σαββάτο.** - [savato]	- **Saturday.** - [σάτερντεϊ]
- **Κυριακή.** - [kiriaki]	- **Sunday.** - [σάνντεϊ]
Η Κυριακή είναι αργία. Δε δουλεύουμε. [i kiriaki ine argia. de doulevoume]	**Sunday is a holiday. We don't go to work.** [σάνντεϊ ιζ ε χόλιντεϊ. γουί ντον't γκόου του γουέρκ]

ΟΙ ΕΠΟΧΕΣ ΤΟΥ ΧΡΟΝΟΥ [i epohes tou hronou]	**THE SEASONS** [δε σίζονς]
Πόσες / ποιες είναι οι εποχές του χρόνου; [posses / pies ine i epohes tou hronou]	**How many / what are the seasons of the year?** [χάου μένι / γουότ αρ δε σίζονς οβ δε γίαρ]
Οι εποχές του χρόνου είναι τέσσερις: [i epohes tou hronou ine tesseris]	**The seasons are four:** [δε σίζονς αρ φορ]
- **η άνοιξη.** - [i anixi]	- **spring.** - [σπρίνγκ]
- **το καλοκαίρι.** - [to kalokeri]	- **summer.** - [σάμερ]
- **το φθινόπωρο.** - [to fthinoporo]	- **autumn.** - [ότομ]
- **ο χειμώνας.** - [o himonas]	- **winter.** - [γουίντερ]
Ποια εποχή του χρόνου σου αρέσει; [pia epohi tou hronou sou aressi]	**What season do you like best?** [γουότ σίζονς ντου γιού λάικ μπεστ]
Εγώ προτιμώ / μου αρέσει το καλοκαίρι. [ego protimo / mou aressi to kalokeri]	**I prefer / like summer.** [άι πριφέρ / λάικ σάμερ]

ΟΙ ΜΗΝΕΣ [i mines]	**THE MONTHS** [δε μανθς]
Οι μήνες του χρόνου είναι ... [i mines tou hronou ine]	**The months of the year are ...** [δε μανθς οβ δε γίαρ αρ]
- **Ιανουάριος.** - [ianouarios]	- **January.** - [τζάνιουαρι]
- **Φεβρουάριος.** - [fevrouarios]	- **February.** - [φέμπρουαρι]
- **Μάρτιος.** - [martios]	- **March.** - [μαρτσ]
- **Απρίλιος.** - [aprilios]	- **April.** - [έιπριλ]
- **Μάιος.** - [maios]	- **May.** - [μέι]
- **Ιούνιος.** - [iounios]	- **June.** - [τζουν]
- **Ιούλιος.** - [ioulios]	- **July.** - [τζουλάι]
- **Αύγουστος.** - [avgoustos]	- **August.** - [όγκαστ]
- **Σεπτέμβριος.** - [septemvrios]	- **September.** - [σεπτέμμπερ]
- **Οκτώβριος.** - [oktovrios]	- **October.** - [οκτόμπερ]
- **Νοέμβριος.** - [noemvrios]	- **November.** - [νοβέμμπερ]
- **Δεκέμβριος.** - [dekemvrios]	- **December.** - [ντισέμμπερ]

ΜΕΤΡΑ ΚΑΙ ΣΤΑΘΜΑ [metra ke stathma]	**COUNTS AND MEASURES** [κάουντς εννт μίζουρς]
Γραμμάριο / Κιλό [gramario / kilo]	**Grammar / Kilo** [γκράμαρ / κίλοου]
Γωνία / Μοίρα [gonia / mira]	**Angle / Degree** [ανγκλ / ντιγκρί]
Εκατοστό / Χιλιοστό [ekatosto / hiliosto]	**Centimetre / Millimetre** [σέν'τιμίτερ / μίλιμίτερ]
Επιφάνεια / Όγκος [epifania / oggos]	**Surface / Volume** [σέρφας / βόλιουμ]
Λίτρο / Μέτρο [litro / metro]	**Litre / Metre** [λίτερ / μίτερ]
Μήκος / Πλάτος [mikos / platos]	**Length / Width** [λένγκθ / γουάιντθ]
Μίλι / Χιλιόμετρο [mili / hiliometro]	**Mile / Kilometre** [μάιλ / κιλόμιτερ]
Παραλληλόγραμμο [paralilogramo]	**Parallelogram** [παραλέλογκραμ]
Τετράγωνο [tetragono]	**Square** [σκουέαρ]
Τόνος [tonos]	**Ton** [τον]
Η ακτίνα / περιφέρεια του κύκλου. [i aktina / periferia tou kiklou]	**The radius / circumference of the circle.** [δε ρέιντιους / σιρκόμφερανς οβ δε σερκλ]
Τι ύψος έχεις; [ti ipsos ehis]	**How tall are you?** [χάου τολ αρ γιού]
Πόσα κιλά είσαι; [possa kila isse]	**How much do you weigh?** [χάου ματς ντου γιού γουέι]

Ο ΚΑΙΡΟΣ [o keros]	**THE WEATHER** [δε γουέδερ]
Αέρας / Άνεμος [aeras / anemos]	**Air / Wind** [ερ / γουίννι]
Αστράφτει / Αστραπή [astrafti / astrapi]	**It's lightening. / Flash of lightning.** [ιτς λάιτνιν / φλασς οβ λάιτνιν]
Βρέχει / Βροχή [vrehi / vrohi]	**It's raining. / Rain** [ιτς ρέινιν / ρέιν]
Βροντάει / Βροντή [vroddai / vroddi]	**It's thundering. / Clap of thunder.** [ιτς θάννιεριν / κλαπ οβ θάννιερ]
Ήλιος / Φεγγάρι [ilios / feggari]	**Sun / Moon** [σαν / μουν]
Καταιγίδα [kategida]	**Storm** [στορμ]
Καυσαέριο [kafsaerio]	**Exhaust-gas** [εγκζόστ γκας]
Κεραυνός [keravnos]	**Thunder** [θάννιερ]
Ομίχλη / Σύννεφο [omihli / sinefo]	**Fog / Cloud** [φογκ / κλάουντ]
Ουρανός [ouranos]	**Sky** [σκάι]
Πάγος [pagos]	**Ice** [άις]
Υγρασία [igrassia]	**Humidity** [χιουμίντιτι]
Χάραμα / Σούρουπο [harama / souroupo]	**Dawn / Dusk** [ντον / ντασκ]
Χιόνι / Χιονίζει [hioni / hionizi]	**Snow / It snows.** [σνόου / ιτ σνόουζ]

Ο ΚΑΙΡΟΣ [o keros]	**THE WEATHER** [δε γουέδερ]
Ανατολή του ήλιου. [anatoli tou iliou]	**Sun rising.** [σαν ράιζιν]
Δύση του ήλιου. [dissi tou iliou]	**Sun set.** [σαν σετ]
Καταρρακτώδης βροχή. [kataraktodis vrohi]	**Pouring rain.** [πούριν ρέιν]
Φυσάει (αέρας). [fissai (aeras)]	**It's blowing.** [ιτς μπλόουιν]
Το μετεωρολογικό δελτίο. / Το δελτίο καιρού. [to meteorologiko deltio. / to deltio kerou]	**The weather forecast.** [δε γουέδερ φόρκαστ]
Πώς είναι ο καιρός σήμερα; [pos ine o keros simera]	**How is the weather today?** [χάου ιζ δε γουέδερ τουντέι]
(Ο καιρός) είναι ... [(o keros) ine]	**(The weather / it) is ...** [(δε γουεδερ / ιτ) ιζ]
- **καλός / άσχημος.** - [kalos / ashimos]	- **good / bad.** - [γκουντ / μπαντ]
- **βροχερός.** - [vroheros]	- **rainy.** - [ρέινι]
- **άστατος.** - [astatos]	- **capricious.** - [καπρίσιους]
- **ψυχρός / ζεστός.** - [psihros / zestos]	- **cold / warm.** - [κολντ / γουόρμ]
- **δροσερός.** - [drosseros]	- **cool.** - [κουλ]
- **αμετάβλητος.** - [ametavlitos]	- **unchangeable.** - [αντσσέιντζαμπλ]

Ο ΚΑΙΡΟΣ [o keros]	**THE WEATHER** [δε γουέδερ]
Τι θερμοκρασία έχουμε σήμερα; [ti thermokrassia ehoume simera]	**What's the temperature today?** [γουότς δε τέμ'περατσουρ τουντέι]
Ποια θα είναι η θερμοκρασία σήμερα; [pia tha ine i thermokrassia simera]	**What's the temperature today?** [γουότς δε τέμ'περατσουρ τουντέι]
Σήμερα έχει 35 °C υπό σκιά. [simera ehi triadda pedde vathmous kelsiou ipo skia]	**It's 35 °C in the shade.** [ιτς θέρτι φάιβ ντιγκρίς ιν δε σσέιντ]
Έχει συννεφιά / λιακάδα. [ehi sinefia / liakada]	**It' cloudy / sunny.** [ιτς κλάουντι / σάνι]
Κάνει / έχει ... [kani / ehi]	**It's ...** [ιτς]
- **(πολύ) ζέστη.** - [(poli) zesti]	- **(very) hot.** - [(βέρι) χοτ]
- **(πολύ) κρύο.** - [(poli) krio]	- **(very) cold.** - [(βέρι) κολντ]
- **παγωνιά.** - [pagonia]	- **freezing.** - [φρίζιν]
Ο καιρός θα ... [o keros tha]	**The weather will ...** [δε γουέδερ γουίλ]
- **βελτιωθεί!** - [beltiothi]	- **get better!** - [γκετ μπέτερ]
- **χειροτερέψει!** - [hiroterepsi]	- **get worse!** - [γκετ γουόρς]
Ο καιρός θα αλλάξει προς το καλύτερο / χειρότερο, από αύριο. [o keros tha alaxi pros to kalitero / hirotero, apo avrio]	**The weather will get better / worse tomorrow.** [δε γουέδερ γουίλ γκετ μπέτερ / γουόρς τουμόροου]

Ο ΚΑΙΡΟΣ [o keros]	**THE WEATHER** [δε γουέδερ]
Η βροχή σταμάτησε και βγήκε το ουράνιο τόξο. [i vrohi stamatisse ke vgike to ouranio toxo]	**The rain stopped and the rainbow came out.** [δε ρέιν στόπντ εννт δε ρέινμπoου κέιμ άουτ]
Η θάλασσα είναι ... [i thalassa ine]	**The sea is ...** [δε σι ιζ]
- **ήρεμη / ταραγμένη.** - [iremi / taragmeni]	- **calm / rough.** - [καλμ / ραφ]
- **τρικυμιώδης.** - [trikimiodis]	- **rough.** - [ραφ]
Κλίμα ... [klima]	**Climate ...** [κλάιμιτ]
- **ηπειρωτικό.** - [ipirotiko]	- **mild / continental.** - [μάιλντ / κον'τινέν'ταλ]
- **μεσογειακό.** - [mesogiako]	- **mediterranean.** - [μεντιτερέινιαν]
- **τροπικό.** - [tropiko]	- **tropical.** - [τρόπικαλ]
Κρυώνω! / Ζεσταίνομαι! [kriono / zestenome]	**I'm cold! / I'm hot!** [άιμ κολντ / άιμ χοτ]
Πέφτει χαλάζι. [pefti halazi]	**It's hailing.** [ιτς χέιλιν]
Πρόκειται να βρέξει / χιονίσει. [prokite na vrexi / hionissi]	**It's going to rain / snow.** [ιτς γκόιν του ρέιν / σνόου]
Θα βρέξει / χιονίσει. [tha vrexi / hionissi]	**It will rain / snow.** [ιτ γουίλ ρέιν / σνόου]

Η ΔΙΑΣΚΕΔΑΣΗ [i diaskedassi]	**ENTERTAINMENT** [εντερτέινμεν'τ]
Απόψε θα πάμε σε ένα καλό κέντρο. [apopse tha pame se ena kalo keddro]	**Tonight we'll go to a nice club.** [τουνάιτ γουίλ γκόου του ε νάις κλαμπ]
Έχει καλή ορχήστρα; [ehi kali orhistra]	**Does it have a good band?** [νταζ ιτ χαβ ε γκουντ μπαννт]
Τραγουδάνε ελληνικά και ξένα τραγούδια. [tragoudane elinika ke xena tragoudia]	**They sing greek and foreign songs.** [δέι σινγκ γκρικ εννт φορέιν σονγκς]
Ο τραγουδιστής / η τραγουδίστρια [o tragoudistis / i tragoudistria]	**The singer** [δε σίνγκερ]
Το μπαλέτο είναι πολύ καλό. [to baleto ine poli kalo]	**The ballet is very good.** [δε μπάλετ ιζ βέρι γκουντ]
Μπορούμε να χορέψουμε εκεί; [boroume na horepsoume eki]	**Can we dance there?** [καν γουί ντανς δέαρ]
Υπάρχει μια μικρή πίστα γι' αυτό το σκοπό. [iparhi mia mikri pista giafto to skopo]	**There is a small dancing floor.** [δέαρ ιζ ε σμολ ντάνσιν φλορ]
Τι ώρα αρχίζει το πρόγραμμα; [ti ora arhizi to programa]	**What time does the performance start?** [γουότ τάιμ νταζ δε περφόρμανς σταρτ]
Πρέπει να κλείσουμε τραπέζι; [prepi na klissoume trapezi]	**Must we book a table?** [μαστ γουί μπουκ ε τέιμπλ]

Η ΔΙΑΣΚΕΔΑΣΗ [i diaskedassi]	**ENTERTAINMENT** [εντερτέινμεν'τ]
Όχι. Μπορούμε να καθίσουμε στο μπαρ και να πιούμε ένα ποτό. [ohi. boroume na kathissoume sto bar ke na pioume ena poto]	**No. We can sit at the bar and have a drink.** [νόου. γουί καν σιτ ατ δε μπαρ εννt χαβ ε ντρινκ]
Καλή διασκέδαση! [kali diaskedassi]	**Have a good time!** [χαβ ε γκουντ τάιμ]
Καλά να περάσετε! [kala na perassete]	**Enjoy yourselves!** [εντζόι γιορσέλβς]
Θα έρθεις μαζί μας; [tha erthis mazi mas]	**Will you come with us?** [γουίλ γιού καμ γουίδ ας]
Όχι απόψε. Έχω κανονίσει να πάω σε μια ταβέρνα. [ohi apopse. eho kanonissi na pao se mia taverna]	**Not tonight. I've arranged to go to a tavern.** [νοτ τουνάιτ. άιβ αρέιν'τζντ του γκόου του ε τάβερν]
Ευχαριστώ πολύ για την ωραία βραδιά. Πέρασα πολύ ωραία. [efharisto poli gia tin orea vradia. perassa poli orea]	**Thanks for the nice evening. I had a great time.** [θενκς φορ δε νάις ίβνιν. άι χαντ ε γκρέιτ τάιμ]

ΣΤΟ ΜΠΑΡ – ΣΤΗΝ ΚΑΦΕΤΕΡΙΑ [sto bar – stin kafeteria]	**AT THE BAR – AT THE CAFETERIA** [ατ δε μπαρ – ατ δε καφιτίρια]
Καφές ... [kafes]	**Coffee ...** [κόφι]
- **ελληνικός.** - [elinikos]	- **greek.** - [γκρικ]
- **νες.** - [nes]	- **nes.** - [νες]
- **γαλλικός.** - [galikos]	- **french.** - [φρέντσς]
Φραπέ ... [frape]	**Frapé ...** [φραπέι]
- **γλυκό / μέτριο.** - [gliko / metrio]	- **sweet / medium.** - [σουίτ / μίντιουμ]
- **σκέτο.** - [sketo]	- **black.** - [μπλακ]
- **με γάλα.** - [me gala]	- **with milk.** - [γουίδ μιλκ]
Λεμονάδα [lemonada]	**Lemonade** [λέμνεϊντ]
Πορτοκαλάδα [portokalada]	**Orange juice** [όραντζ τζους]
Κόκα κόλα. [koka kola]	**Coca cola / Coke** [κόουκα κόουλα / κόουκ]
Γκαζόζα / Νερό [ggazoza / nero]	**Fizzy drink / Water** [φίζι ντρινκ / γουότερ]
Χυμός ... [himos]	**Juice ...** [τζους]
- **πορτοκάλι.** - [portokali]	- **of orange.** - [οβ όραντζ]

ΣΤΟ ΜΠΑΡ – ΣΤΗΝ ΚΑΦΕΤΕΡΙΑ [sto bar – stin kafeteria]	**AT THE BAR – AT THE CAFETERIA** [ατ δε μπαρ – ατ δε καφιτίρια]
- **μπανάνα / μήλο.** - [banana / milo]	- **of banana / apple.** - [οβ μπανάνα / απλ]
- **ανάμεικτος.** - [anamiktos]	- **mixed fruit.** - [μιξντ φρουτ]
Τι γλυκά / παγωτά έχετε; [ti glika / pagota ehete]	**What pastries / ice-creams have you got?** [γουότ πέιστρις / άις κριμς χαβ γιού γκοτ]
(Έχουμε) Πάστα ... [(ehoume) pasta]	**(We've got) ...** [(γουίβ γκοτ)]
- **σοκολατίνα.** - [sokolatina]	- **chocolate pastry.** - [τσόκλετ πέιστρι]
- **άσπρη.** - [aspri]	- **cream cake.** - [κριμ κέικ]
(Έχουμε) Παγωτό ... [(ehoume) pagoto]	**(We've got) ...** [(γουίβ γκοτ)]
- **σοκολάτα.** - [sokolata]	- **chocolate ice-cream.** - [τσόκλετ άις κριμ]
- **βανίλια.** - [vanilia]	- **vanilla ice-cream.** - [βανίλα άις κριμ]
- **φράουλα.** - [fraoula]	- **strawberry ice-cream.** - [στρόμπερι άις κριμ]
- **μπανάνα.** - [banana]	- **banana ice-cream.** - [μπανάνα άις κριμ]
Ποτό [poto]	**Drink** [ντρινκ]
Βότκα / Κονιάκ [votka / koniak]	**Vodka / Brandy** [βότκα / μπράνντι]

ΣΤΟ ΜΠΑΡ – ΣΤΗΝ ΚΑΦΕΤΕΡΙΑ [sto bar – stin kafeteria]	**AT THE BAR – AT THE CAFETERIA** [ατ δε μπαρ – ατ δε καφιτίρια]
Ουίσκι / Μπύρα [ouiski / bira]	**Whisky / Beer** [γουίσκι / μπίαρ]
Τζιν / Τεκίλα [tzin / tekila]	**Gin / Tequila** [τζιν / τεκίλα]
Ρακί / Ούζο [raki / ouzo]	**Raki / Ouzo** [ράκι / ουζό]
Κρασί ... [krassi]	**Wine ...** [γουάιν]
- **λευκό / κόκκινο.** - [lefko / kokino]	- **white / red.** - [γουάιτ / ρεντ]
- **γλυκό / ξηρό.** - [gliko / xiro]	- **sweet / dry.** - [σουίτ / ντράι]
Τι θα θέλατε / πιείτε; [ti tha thelate / piite]	**What would you like / drink?** [γουότ γουντ γιού λάικ / ντρινκ]
Τι θα πάρετε; [ti tha parete]	**What will you have?** [γουότ γουίλ γιού χαβ]
Θα ήθελα ένα / μία ... [tha ithela ena / mia]	**I'd like a(n) ...** [άιντ λάικ ε(ν)]
Θα θέλατε κάτι άλλο; [tha thelate kati alo]	**Would you like anything else?** [γουντ γιού λάικ ένιθιν ελς]
Θέλετε κάτι ακόμα; [thelete kati akoma]	**Is anything else you want?** [ιζ ένιθιν ελς γιού γουόν'τ]
Μπορείτε να μου φέρετε ... [borite na mou ferete]	**Can you bring me ...** [καν γιού μπρινγκ μι]
- **λίγο γάλα;** - [ligo gala]	- **some milk?** - [σαμ μιλκ]
- **λίγη ζάχαρη;** - [ligi zahari]	- **some sugar?** - [σαμ σούγκαρ]

ΣΤΟ ΜΠΑΡ – ΣΤΗΝ ΚΑΦΕΤΕΡΙΑ [sto bar – stin kafeteria]	**AT THE BAR – AT THE CAFETERIA** [ατ δε μπαρ – ατ δε καφιτίρια]
- **ένα ποτήρι παρακαλώ;** - [ena potiri parakalo]	- **a glass please?** - [ε γκλας πλιζ]
Πρέπει να πληρώσω είσοδο; [prepi na plirosso issodo]	**Must I pay an entrance fee?** [μαστ άι πέι εν έν'τρανς φι]
Με το εισιτήριο της εισόδου μπορώ να πιω κάτι; [me to issitirio tis issodou boro na pio kati]	**Can I drink something paying the entrance fee?** [καν άι ντρινκ σάμθιν πέιν δι έν'τρανς φι]
Με αυτό το εισιτήριο δικαιούστε ένα ποτό / αναψυκτικό. [me afto to issitirio dikeouste ena poto / anapsiktiko]	**With this ticket you may have a drink / soft drink.** [γουίδ δις τίκετ γιού μέι χαβ ε ντρινκ / σοφτ ντρινκ]
Για να πιείτε ένα ποτό, πρέπει να πληρώσετε ακόμα ... δραχμές. [gia na piite ena poto, prepi na plirossete akoma ... drahmes]	**In order to have a drink, you must pay ... more drachmas.** [ιν όρντερ του χαβ ε ντρινκ, γιού μαστ πέι ... μορ ντράκμας]
Το λογαριασμό παρακαλώ. [to logariasmo parakalo]	**The bill please.** [δε μπιλ πλιζ]
Πόσο κάνει / κοστίζει; [posso kani / kostizi]	**How much does it cost / is it?** [χάου ματς νταζ ιτ κοστ / ιζ ιτ]

ΣΤΗΝ ΤΑΒΕΡΝΑ – ΣΤΟ ΕΣΤΙΑΤΟΡΙΟ [stin taberna – sto estiatorio]	**AT THE TAVERN – AT THE RESTAURANT** [ατ δε τάβερν – ατ δε ρέστοραν]
Γεύμα / Δείπνο [gevma / dipno]	**Lunch / Dinner** [λαντσς / ντίνερ]
Καρέκλα / Τραπέζι [karekla / trapezi]	**Chair / Table** [τσσέαρ / τέιμπλ]
Κουταλάκι [koutalaki]	**Teaspoon** [τίσμπουν]
Κουτάλι [koutali]	**Spoon** [σπουν]
Λάδι / Ξύδι [ladi / xidi]	**Oil / Vinegar** [όιλ / βίνεγκαρ]
Μακαρόνια [makaronia]	**Pasta** [πάστα]
Μαχαίρι / Πιρούνι [maheri / pirouni]	**Knife / Fork** [νάιφ / φορκ]
Πιάτο / Ποτήρι [piato / potiri]	**Plate / Glass** [πλέιτ / γκλὰς]
Πιπέρι / Ρύζι [piperi / rizi]	**Pepper / Rice** [πέπερ / ράις]
Σερβιτόρος, -α [servitoros, -a]	**Waiter, Waitress** [γουέιτερ, γουέιτρες]
Σταχτοδοχείο [stahtodohio]	**Ashtray** [άσστρέι]
Φασολάδα [fasolada]	**Bean soup** [μπιν σουπ]
Φλιτζάνι / Ψωμί [flitzani / psomi]	**Cup / Bread** [καπ / μπρεντ]
Χαρτοπετσέτες [hartopetsetes]	**Paper napkins** [πέιπερ νάπκινς]

ΣΤΗΝ ΤΑΒΕΡΝΑ – ΣΤΟ ΕΣΤΙΑΤΟΡΙΟ [stin taberna – sto estiatorio]	**AT THE TAVERN – AT THE RESTAURANT** [ατ δε τάβερν – ατ δε ρέστοραν]
Κατάλογος (φαγητών). [katalogos fagiton]	**Menu** [μένιου]
Πιάτο της ημέρας. [piato tis imeras]	**Today's specialty.** [τουντέις σπέσσαλτι]
Πεινάω! [pinao]	**I'm hungry!** [άιμ χάνγκρι]
Είμαι (πολύ) πεινασμένος. [ime (poli) pinasmenos]	**I'm starving.** [άιμ στάρβιν]
Ξέρετε κανένα καλό εστιατόριο εδώ κοντά; [xerete kanena kalo estiatorio edo kodda]	**Do you know any good restaurants around here?** [ντου γιού νόου ένι γκουντ ρέστοραν'τς αράουννт χίαρ]
Γεια σας. Πόσα άτομα είστε; [gia sas. possa atoma iste]	**Good evening. How many are you?** [γκουντ ίβνιν. χάου μένι αρ γιού]
Έχετε κλείσει τραπέζι; [ehete klissi trapezi]	**Have you booked a table?** [χαβ γιού μπουκντ ε τέιμπλ]
Είναι ελεύθερο αυτό το τραπέζι, παρακαλώ; [ine elefthero afto to trapezi parakalo]	**Is this table empty, please?** [ιζ δις τέιμπλ έμτι, πλιζ]
Θέλετε να παραγγείλετε; [thelete na paraggilete]	**Would you like to order?** [γουντ γιού λάικ του όρντερ]
Παραγγείλατε; [paraggilate]	**Did you order?** [ντιντ γιού όρντερ]

ΣΤΗΝ ΤΑΒΕΡΝΑ – ΣΤΟ ΕΣΤΙΑΤΟΡΙΟ [stin taberna – sto estiatorio]	**AT THE TAVERN – AT THE RESTAURANT** [ατ δε τάβερν – ατ δε ρέστοραν]
Μπορείτε να μας φέρετε τον κατάλογο παρακαλώ; [borite na mas ferete ton katalogo parakalo]	**Can you give us the menu please?** [καν γιού γκιβ ας δε μένιου πλιζ]
Έχετε κάτι να μας συστήσετε; [ehete kati na mas sistissete]	**Can you recommend anything?** [καν γιού ρικομέννт ένιθιν]
Θέλω / θα ήθελα ... [thelo / tha ithela]	**I want / would like ...** [άι γουόν'τ / γουντ λάικ]
Εγώ προτιμώ ... [ego protimo]	**I prefer ...** [άι πριφέρ]
Για αρχή θα θέλαμε μια σαλάτα και λίγα ορεκτικά. [gia arhi tha thelame mia salata ke liga orektika]	**For a start we'd like a salad and some starters.** [φορ ε σταρτ γουίντ λάικ ε σάλαντ εννт σαμ στάρτερς]
Μπριζόλα ... [brizola]	**Steak ...** [στέικ]
- **καλοψημένη.** - [kalopsimeni]	- **well-done.** - [γουέλ νταν]
- **μέτρια ψημένη.** - [metria psimeni]	- **medium.** - [μίντιουμ]
- **στη σχάρα.** - [sti shara]	- **on the grill.** - [ον δε γκρίλ]
- **με ρύζι.** - [me rizi]	- **with rice.** - [γουίδ ράις]
- **με πατάτες τηγανιτές.** - [me patates tiganites]	- **with chips.** - [γουίδ τσσιπς]

ΣΤΗΝ ΤΑΒΕΡΝΑ – ΣΤΟ ΕΣΤΙΑΤΟΡΙΟ [stin taberna – sto estiatorio]	AT THE TAVERN – AT THE RESTAURANT [ατ δε τάβερν – ατ δε ρέστοραν]
Θα ήθελα ... [tha ithela]	**I would like ...** [άι γουντ λάικ]
- **ένα σουβλάκι.** - [ena souvlaki]	- **a souvlaki.** - [ε σουβλάκι]
- **γεμιστά.** - [gemista]	- **stuffed tomatoes.** - [σταφντ τομέιτοους]
- **ένα παστίτσιο.** - [ena pastitsio]	- **pasticcio.** - [παστίτσιο]
Τι θα πιείτε; [ti tha piite]	**What will you drink?** [γουότ γουίλ γιού ντρινκ]
Φέρτε μας ... [ferte mas]	**Bring us ...** [μπρινγκ ας]
- **μια μπύρα.** - [mia bira]	- **a bottle of beer.** - [ε μποτλ οβ μπίαρ]
- **ένα μπουκάλι κρασί.** - [ena boukali krassi]	- **a bottle of wine.** - [ε μποτλ οβ γουάιν]
- **ένα μπουκάλι νερό.** - [ena boukali nero]	- **a bottle of water.** - [ε μποτλ οβ γουότερ]
- **μια πορτοκαλάδα.** - [mia portokalada]	- **an orange-juice.** - [εν όραντζ τζους]
Μπορείτε να φέρετε ... [borite na ferete]	**Can you bring ...** [καν γιού μπρινγκ]
- **λίγες οδοντογλυφίδες;** - [liges ododdoglifides]	- **some toothpicks?** - [σαμ τούθπικς]
- **ένα λεμόνι;** - [ena lemoni]	- **a lemon?** - [ε λέμον]
- **λίγο πάγο;** - [ligo pago]	- **some ice?** - [σαμ άις]

ΣΤΗΝ ΤΑΒΕΡΝΑ – ΣΤΟ ΕΣΤΙΑΤΟΡΙΟ [stin taberna – sto estiatorio]	**AT THE TAVERN – AT THE RESTAURANT** [ατ δε τάβερν – ατ δε ρέστοραν]
Έχετε επιδόρπια; [ehete epidorpia]	**Have you got any desserts?** [χαβ γιού γκοτ ένι ντιζέρτς]
Τι έχετε; [ti ehete]	**What have you got?** [γουότ χαβ γιού γκοτ]
Έχουμε ... [ehoume]	**We've got ...** [γουίβ γκοτ]
- **παγωτό.** - [pagoto]	- **ice-cream.** - [άις κριμ]
- **γλυκό.** - [gliko]	- **pastries.** - [πέιστρις]
- **φρούτα εποχής.** - [frouta epohis]	- **season fruit.** - [σίζον φρουτ]
Καλή (σας) όρεξη! [kali (sas) orexi]	**Enjoy your meal!** [εντζόι γιόρ μιλ]
Είναι πολύ νόστιμο. [ine poli nostimo]	**It's very tasty.** [ιτς βέρι τέιστι]
Το φαγητό είναι πολύ καλό. [to fagito ine poli kalo]	**The food is really good.** [δε φουντ ιζ ρίλι γκουντ]
Είναι πολύ αλμυρό. [ine poli almiro]	**It's very salty.** [ιτς βέρι σόλτι]
Το σέρβις είναι πολύ καλό. [to servis ine poli kalo]	**They have very good service.** [δέι χαβ βέρι γκουντ σέρβις]
Θα θέλατε κάτι άλλο; [tha thelate kati allo]	**Woyld you like anything else?** [γουντ γιού λάικ ένιθιν ελς]
Το λογαριασμό παρακαλώ. [to logariasmo parakalo]	**The bill please.** [δε μπιλ πλιζ]

ΤΟ ΠΡΩΙΝΟ [to proino]	**BREAKFAST** [μπρέκφαστ]
Αυγά ... [avga]	**Eggs ...** [εγκς]
- **μελάτα.** - [melata]	- **soft-boiled.** - [σοφτ-μπόιλντ]
- **σφιχτά.** - [sfihta]	- **hard-boiled.** - [χαρντ-μπόιλντ]
- **μάτια.** - [matia]	- **fried.** - [φράιντ]
- **με μπέικον.** - [me beikon]	- **with bacon.** - [γουίδ μπέικον]
Βούτυρο [voutiro]	**Butter** [μπάτερ]
Καφές [kafes]	**Coffee** [κόφι]
Ελληνικός καφές. [elinikos kafes]	**Greek coffee.** [γκρικ κόφι]
Γαλλικός καφές. [galikos kafes]	**French coffee.** [φρεντσς κόφι]
Μαρμελάδα [marmelada]	**Jam** [τζαμ]
Ομελέτα [omeleta]	**Omelette** [όμλετ]
Σοκολάτα [sokolata]	**Chocolate** [τσόκλετ]
Τσάι [tsai]	**Tea** [τι]
Χυμός πορτοκαλιού. [himos portokaliou]	**Orange-juice.** [όραντζ τζους]

ΟΙ ΣΑΛΑΤΕΣ – ΤΑ ΛΑΧΑΝΙΚΑ [i salates – ta lahanika]	**SALADS – VEGETABLES** [σάλαντς – βέτζιταμπλς]
Αγγούρι / Αρακάς [aggouri / arakas]	**Cucumber / Fresh peas** [κιούκαμμπερ / φρεσς πίις]
Άνηθος / Καρότο [anithos / karoto]	**Dill / Carrot** [ντιλ / κάροτ]
Κουνουπίδι [kounoupidi]	**Cauliflower** [κόλιφλάουερ]
Κρεμμύδι [kremidi]	**Onion** [όνιον]
Λάχανο [lahano]	**Cabbage** [κάμπιτζ]
Μαρούλι [marouli]	**Lettuce** [λέτους]
Μαϊντανός [maiddanos]	**Parsley** [πάρσλι]
Μελιτζάνα [melitzana]	**Egg-plant** [έγκπλαν'τ]
Ντομάτα / Πατάτα [ddomata / patata]	**Tomato / Potato** [τομέιτοου / ποτέιτοου]
Πιπεριά / Πράσο [piperia / prasso]	**Pepper / Leek** [πέπερ / λικ]
Σέλινο / Σπανάκι [selino / spanaki]	**Celery / Spinach** [σέλερι / σπίνατσς]
Τονοσαλάτα [tonossalata]	**Tunafish–salad** [τιούναφισς σάλαντ]
Φασολάκια [fassolakia]	**Green beans** [γκριν μπινς]
Χωριάτικη (σαλάτα). [horiatiki (salata)]	**Greek salad.** [γκρικ σάλαντ]

ΤΟ ΚΡΕΑΣ [to kreas]	**THE MEAT** [δε μιτ]
Αρνί / Γαλοπούλα [arni / galopoula]	**Lamb / Turkey** [λαμ'π / τέρκι]
Βοδινό (κρέας). [vodino (kreas)]	**Beef** [μπιφ]
Κόκορας (κρασάτος). [kokoras (krassatos)]	**Cock (in wine).** [κοκ (ιν γουάιν)]
Κοτόπουλο [kotopoulo]	**Chicken** [τσσίκεν]
Κουνέλι [kouneli]	**Rabbit** [ράμπιτ]
Κρέας... [kreas]	**Meat ...** [μιτ]
- **βραστό / ψητό.** - [vrasto / psito]	- **stewed / roasted.** - [στιούντ / ρόουστεντ]
- **στη σχάρα.** - [sti shara]	- **grilled.** - [γκριλντ]
Λουκάνικο [loukaniko]	**Sausage** [σόσατζ]
Μπιφτέκι (γεμιστό). [bifteki (gemisto)]	**Hamburger (stuffed).** [χάμμπερκερ (σταφντ]
Μπριζόλα... [brizola]	**Steak ...** [στέικ]
- **μοσχαρίσια.** - [mosharissia]	- **veal cutlet.** - [βιλ κάτλετ]
- **χοιρινή.** - [hirini]	- **porkchop.** - [πόρκτσσοπ]
Πάπια / Χήνα [papia / hina]	**Duck / Goose** [ντακ / γκουζ]
Πέρδικα / Συκώτι [perdika / sikoti]	**Partridge / Liver** [πάρτριτζ / λίβερ]

ΤΑ ΨΑΡΙΑ [ta psaria]	**THE FISH** [δε φισς]
Αστακός [astakos]	**Lobster** [λόμπστερ]
Γαρίδες [garides]	**Shrimps** [σσριμ'πς]
Γλώσσα [glossa]	**Sole** [σόουλ]
Καβούρι [kavouri]	**Crab** [κραμπ]
Καλαμαράκια [kalamarakia]	**Squids** [σκουίντς]
Καραβίδα [karavida]	**Crayfish** [κρέιφισς]
Μπακαλιάρος [bakaliaros]	**Cod** [κοντ]
Μύδια / Ξιφίας [midia / xifias]	**Mussels / Swordfish** [μάσελς / σόρντφισς]
Πέστροφα / Ρέγκα [pestrofa / regga]	**Trout / Herring** [τρουτ / χέριν]
Σαλιγκάρια [saliggaria]	**Snails** [σνέιλς]
Σαρδέλα [sardela]	**Sardine** [σαρντίν]
Σολομός / Σουπιά [solomos / soupia]	**Salmon / Cuttlefish** [σάλμον / κάτλφισς]
Τόνος / Χέλι [tonos / heli]	**Tuna / Eel** [τιούνα / ιλ]
Χταπόδι [htapodi]	**Octapus** [όκταπους]

ΤΑ ΦΡΟΥΤΑ [ta frouta]	**THE FRUIT** [δε φρουτ]
Ανανάς [ananas]	**Pineapple** [πάιναπλ]
Αχλάδι [ahladi]	**Pear** [πέαρ]
Βερίκοκο [verikoko]	**Apricot** [άπρικοτ]
Δαμάσκηνο [damaskino]	**Plum** [πλαμ]
Καρπούζι [karpouzi]	**Water-melon** [γουότερ μέλον]
Κεράσι [kerassi]	**Cherry** [τσσέρι]
Μανταρίνια [maddarinia]	**Mandarin** [μάννταριν]
Μήλο [milo]	**Apple** [απλ]
Μπανάνα [banana]	**Banana** [μπανάνα]
Πεπόνι [peponi]	**Melon** [μέλον]
Πορτοκάλι [portokali]	**Orange** [όραντζ]
Ροδάκινο [rodakino]	**Peach** [πιτσς]
Σταφύλια [stafilia]	**Grapes** [γκρέιπς]
Σύκο [siko]	**Fig** [φιγκ]

ΣΤΗΝ ΤΡΑΠΕΖΑ – ΤΑ ΛΕΦΤΑ [stin trapeza – ta lefta]	**AT THE BANK – THE MONEY** [ατ δε μπανκ – δε μάνι]
Κέρμα [kerma]	**Coin** [κόιν]
Μετρητά [metrita]	**Cash** [κασς]
Λεφτά / Χρήματα [lefta / hrimata]	**Money** [μάνι]
Ταμείο [tamio]	**Cashier's** [κασσίερ'ς]
Δραχμή [drahmi]	**Drachma** [ντράκμα]
EURO [evro]	**Euro** [γιούρο]
Δολάριο / Λίρα [dolario / lira]	**Dollar / Pound** [ντόλαρ / πάουν'τ]
Μάρκο / Λιρέτα [marko / lireta]	**Mark / Lira** [μαρκ / λίρα]
Θα ήθελα να ανοίξω ένα λογαριασμό, παρακαλώ. [tha ithela na anixo ena logariasmo, parakalo]	**I would like to open an account, please.** [άι γουντ λάικ του όπεν εν ακάουν'τ πλιζ]
Τι τόκο δίνει η τράπεζά σας το χρόνο; [ti toko dini i trapeza sas to hrono]	**What's the rate of annual interest?** [γουότς δε ρέιτ οβ άνιουαλ ίντερεστ]
Θα ήθελα να κάνω κατάθεση / ανάληψη. [tha ithela na kano katathessi / analipsi]	**I would like to make a deposit / with-drawal.** [άι γουντ λάικ του μέικ ε ντιπόζιτ / γουιδντρόαλ]

ΣΤΗΝ ΤΡΑΠΕΖΑ – ΤΑ ΛΕΦΤΑ [stin trapeza – ta lefta]	**AT THE BANK – THE MONEY** [ατ δε μπανκ – δε μάνι]
Τι ποσό θα βάλετε / καταθέσετε; [ti posso tha valete / katathessete]	**What amount will you deposit?** [γουότ αμάουν'τ γουίλ γιού ντιπόζιτ]
Θα ήθελα να αγοράσω / πουλήσω συνάλλαγμα. [tha ithela na agorasso / poulisso sinalagma]	**I would like to buy / sell some exchange.** [άι γουντ λάικ του μπάι / σελ σαμ εξτσσέιντζ]
Ποια είναι η τιμή του δολαρίου σήμερα; [pia ine i timi tou doľariou simera]	**What's the current dollar exchange rate?** [γουότς δε κάρεν'τ ντόλαρ εξτσσέιντζ ρέιτ]
Θέλω να αλλάξω μερικά χρήματα. [thelo na alaxo merika hrimata]	**I'd like to change some money.** [άιντ λάικ του τσσέιντζ σαμ μάνι]
Τι θέλετε να αλλάξετε; [ti thelete na alaxete]	**What would you like to change?** [γουότ γουντ γιού λάικ του τσσέιντζ]
Δώστε μου την ταυτότητά / το διαβατήριό σας, παρακαλώ. [doste mou tin taftotita / to diavatirio sas, parakalo]	**Give me your identity card / passport, please.** [γκιβ μι γιόρ αϊντέν'τιτι καρντ / πάσπορτ, πλιζ]
Θέλω να εξαργυρώσω αυτή την επιταγή. [thelo na exargirosso afti tin epitagi]	**I want to cash this cheque.** [άι γουόν'τ του κασς δις τσσεκ]

ΣΤΗΝ ΤΡΑΠΕΖΑ – ΤΑ ΛΕΦΤΑ [stin trapeza – ta lefta]	**AT THE BANK – THE MONEY** [ατ δε μπανκ – δε μάνι]
Δυστυχώς δεν έχει λεφτά μέσα. [distihos den ehi lefta messa]	**Unfortunately there is no money left.** [ανφόρτσσουνατλι δέαρ ιζ νο μάνι λεφτ]
Πρέπει να πληρώσετε κάποια προμήθεια γι' αυτή την επιταγή. [prepi na plirossete kapia promithia giafti tin epitagi]	**You must pay some bank commission for this cheque.** [γιού μαστ πέι σαμ μπανκ κομίσσν φορ δις τσσεκ]
Χωρίς προμήθεια. [horis promithia]	**Without commission.** [γουιδάουτ κομίσσν]
Υπογράψτε εδώ παρακαλώ. [ipograpste edo parakalo]	**Sign here please.** [σάιν χίαρ πλιζ]
Μπορείτε να μου αλλάξετε αυτό το χαρτονόμισμα σε ψιλά; [borite na mou alaxete afto to hartonomisma se psila]	**Can you change this banknote into small change please?** [καν γιού τσσέιντζ δις μπάνκνοουτ ίντου σμολ τσσέιντζ πλιζ]
Αυτό το χαρτονόμισμα είναι πλαστό κύριε. [afto to xartonomisma ine plasto kirie]	**This is a forged note sir.** [δις ιζ ε φορτζντ νόουτ σερ]

ΣΤΟ ΤΑΧΥΔΡΟΜΕΙΟ [sto tahidromio]	**AT THE POST-OFFICE** [ατ δε ποστ όφις]
ΕΛ.ΤΑ. (Ελληνικά Ταχυδρομεία) [elta (elinika tahidromia)]	**Greek Post Offices** [γκρικ ποστ όφισιζ]
Κάρτα [karta]	**Card** [καρντ]
Διεύθυνση [diefthinsi]	**Address** [άντρες]
Ταχυδρόμος [tahidromos]	**Postman** [πόουστμαν]
Γραμματοκιβώτιο [gramatokivotio]	**Mailbox** [μέιλμποξ]
Συστημένη επιστολή. [sistimeni epistoli]	**Registered letter.** [ρέτζιστερντ λέτερ]
Ταχυδρομική επιταγή. [tahidromiki epitagi]	**Postal order.** [πόσταλ όρντερ]
Πού βρίσκεται το κεντρικό ταχυδρομείο; [pou vriskete to keddriko tahidromio]	**Where is the central post office?** [γουέαρ ιζ δε σέν'τραλ ποστ όφις]
Τι ώρα ανοίγει / κλείνει; [ti ora anigi / klini]	**What time does it open / close?** [γουότ τάιμ νταζ ιτ όπεν / κλόουζ]
Θα ήθελα να στείλω αυτό το γράμμα στην Ελλάδα. [tha ithela na stilo afto to grama stin elada]	**I'd like to send this letter to Greece.** [άιντ λάικ του σεννт δις λέτερ του γκρις]
Τι γραμματόσημα χρειάζομαι; [ti gramatossima xriazome]	**What stamps do I need?** [γουότ σταμ'πς ντου άι νιντ]

ΣΤΟ ΤΑΧΥΔΡΟΜΕΙΟ [sto tahidromio]	**AT THE POST-OFFICE** [ατ δε ποστ όφις]
Πώς θα το στείλετε; Απλό; [pos tha to stilete. aplo]	**How will you send it? Simple or registered?** [χάου γουίλ γιού σεννт ιτ. σιμ'πλ ορ ρέτζιστερντ]
Όχι, θα ήθελα να το στείλω επείγον. [ohi, tha ithela na to stilo epigon]	**No, I'd like to send it urgent.** [νόου, άιντ λάικ του σεννт ιτ έρτζεν'τ]
Θέλω να στείλω ένα δέμα / πακέτο. [thelo na stilo ena dema / paketo]	**I want to send a parcel.** [άι γουόν'τ του σεννт ε πάρσελ]
Πρέπει να το ζυγίσετε. [prepi na to zigissete]	**You must have it weighed.** [γιού μαστ χαβ ιτ γουέιντ]
Προσοχή είναι εύθραυστο. [prossohi ine efthrafsto]	**Be careful, it's fragile.** [μπι κέρφουλ, ιτς φρατζάιλ]
Θα ήθελα να το ασφαλίσω. [tha ithela na to asfalisso]	**I'd like to secure it.** [άιντ λάικ του σεκιούρ ιτ]

ΣΤΟ ΤΗΛΕΦΩΝΟ [sto tilefono]	**ON THE PHONE** [ον δε φόουν]
Ο.Τ.Ε. (Οργανισμός Τηλεπικοινωνιών Ελλάδος). [ote (organismos tilepikinonion elados)]	**Hellenic Telecommunications Organisation.** [χελένικ τελεκομιουνικέισσνς οργκαναιζέισσν]
Ακουστικό [akoustiko]	**Receiver** [ρισίβερ]
Σήμα [sima]	**Signal** [σίγκναλ]
Τηλεφωνητής [tilefonitis]	**Answering machine** [άνσεριν μασσίν]
Τηλεφωνητής / τηλεφωνήτρια [tilefonitis / tilefonitria]	**Operator** [οπερέιτορ]
Τηλεφωνώ [tilefono]	**Make a phone call.** [μέικ ε φόουν κολ]
Αριθμός (τηλεφώνου). [arithmos (tilefonou)]	**(Telephone) Number.** [(τέλεφοουν) νάμμπερ]
Αυτόματη συνδιάλεξη. [aftomati sindialexi]	**Direct call.** [νταϊρέκτ κολ]
Τηλεφωνικό κέντρο. [tilefoniko keddro]	**Telephone exchange.** [τέλεφοουν εξτσσέιντζ]
Τοπική συνδιάλεξη. [topiki sindialexi]	**Local call.** [λόουκαλ κολ]
Θέλω να κάνω ένα τηλεφώνημα. [thelo na kano ena tilefonima].	**I want to make a phone call.** [άι γουόν'τ του μέικ ε φόουν κολ]

ΣΤΟ ΤΗΛΕΦΩΝΟ [sto tilefono]	**ON THE PHONE** [ον δε φόουν]
Θέλω να πάρω ένα τηλέφωνο. [thelo na paro ena tilefono]	**I want to make a phone call.** [άι γουόν'τ του μέικ ε φόουν κολ]
Πού είναι το τηλέφωνο; [pou ine to tilefono]	**Where's the phone?** [γουέρς δε φόουν]
Μπορώ να τηλεφωνήσω από δω; [boro na tilefonisso apo do]	**May I call from here?** [μέι άι κολ φρομ χίαρ]
Υπάρχει κάποιος τηλεφωνικός θάλαμος εδώ κοντά; [iparhi kapios tilefonikos thalamos edo kodda]	**Is there a telephone booth near here?** [ιζ δέαρ ε τέλεφοουν μπουθ νίαρ χίαρ]
Από πού μπορώ να κάνω ένα υπεραστικό τηλεφώνημα; [apo pou boro na kano ena iperastiko tilefonima]	**Where can I make an overseas call from?** [γουέαρ καν άι μέικ εν όβερσιζ κολ φρομ]
Θα ήθελα να τηλεφωνήσω στο εξωτερικό. [tha ithela na tilefonisso sto exoteriko]	**I would like to call abroad.** [άι γουντ λάικ του κολ αμπρόουντ]
Μπορείτε να μου πείτε πού θα βρω τα αυτόματα νούμερα εξωτερικού; [borite na mou pite pou tha vro ta aftomata noumera exoterikou]	**Can you tell me where I may find these overseas code numbers?** [καν γιού τελ μι γουέαρ άι μέι φάιννΤ διζ οβερσίζ κόουντ νάμμπερς]

ΣΤΟ ΤΗΛΕΦΩΝΟ [sto tilefono]	**ON THE PHONE** [ον δε φόουν]
Το αυτόματο νούμερο της Αθήνας / Ελλάδος είναι ... [to aftomato noumero tis athinas / elados ine]	**The code number for Athens / Greece is …** [δε κόουντ νάμμπερ φορ άθενς / γκρις ιζ]
Μπορείτε να μου πείτε από πού μπορώ να αγοράσω τηλεφωνικές κάρτες; [borite na mou pite apo pou boro na agorasso tilefonikes kartes]	**Can you tell me where I can buy phone cards from?** [καν γιού τελ μι γουέαρ άι καν μπάι φόουν καρντς φρομ]
Βάλτε την κάρτα. [valte tin karta]	**Put the card in the slot.** [πουτ δε καρντ ιν δε σλοτ]
Μου δίνετε τον τηλεφωνικό κατάλογο; [mou dinete ton tilefoniko katalogo]	**Can you give me the directory?** [καν γιού γκιβ μι δε νταϊρέκτορι]
Μπορώ να έχω τον τηλεφωνικό κατάλογο; [boro na eho ton tilefoniko katalogo]	**May I have the directory?** [μέι άι χαβ δε νταϊρέκτορι]
Εμπρός! [ebros]	**Hallo!** [χαλόου]
Λέγετε παρακαλώ! [legete parakalo]	**Speaking please!** [σπίκιν πλιζ]
Μπορώ να μιλήσω με τον κύριο ...; [boro na milisso me ton kirio]	**May I speak to Mr …?** [μέι άι σπικ του μίστερ]
Μπορείτε να με συνδέσετε με το γραφείο του κυρίου / της κυρίας ...; [borite na me sindessete me to grafio tou kiriou / tis kirias]	**Can you put me through to Mr / Mrs …?** [καν γιού πουτ μι θρου του μίστερ / μίσιζ]

ΣΤΟ ΤΗΛΕΦΩΝΟ [sto tilefono]	**ON THE PHONE** [ον δε φόουν]
Ποιος κύριος τον ζητεί; [pios kirios ton ziti]	**Who shall I tell him it is?** [χου σσαλ άι τελ χιμ ιτ ιζ]
Ποιος είστε; [pios iste]	**Who are you?** [χου αρ γιού]
Μια στιγμή παρακαλώ. [mia stigmi parakalo]	**Just a moment please.** [τζαστ ε μόμεν'τ πλιζ]
Ένα λεπτό παρακαλώ. [ena lepto parakalo]	**Just a minute please.** [τζαστ ε μίνιτ πλιζ]
Περιμένετε μια στιγμή. [perimenete mia stigmi]	**Hold on for a second.** [χολντ ον φορ ε σέκοννт]
Σας ζητούν στο τηλέφωνο. [sas zitoun sto tilefono]	**Someone asks you on the phone.** [σάμουαν ασκς γιού ον δε φόουν]
Ο κύριος ... δεν είναι εδώ. [o kirios … den ine edo]	**Mr … isn't here.** [μίστερ … ιζν'τ χίαρ]
Επειδή ο κύριος ... απουσιάζει, θα μου αφήσετε το τηλέφωνό σας, να σας καλέσουμε εμείς; [epidi o kirios … apousiazi, tha mou afissete to tilefono sas, na sas kalessoume emis]	**Since Mr … isn't here at the moment, will gou give me your phone number so that we can call you back?** [σινς μίστερ … ιζν'τ χίαρ ατ δε μόμεν'τ, γουίλ γιού γκιβ μι γιόρ φόουν νάμμπερ σόου δατ γουί καν κολ γιού μπακ]
Μπορείτε να του δώσετε ένα μήνυμα; [borite na tou dossete ena minima]	**Can you give him a message?** [καν γιού γκιβ χιμ ε μέσατζ]

ΣΤΟ ΤΗΛΕΦΩΝΟ [sto tilefono]	**ON THE PHONE** [ον δε φόουν]
Μπορείτε να του πείτε ότι τηλεφώνησε ο κύριος ...; [borite na tou pite oti tilefonisse o kirios]	**Can you tell him that Mr ... called?** [καν γιού τελ χιμ δατ μίστερ ... κολντ]
Το τηλέφωνο μου είναι ... [to tilefono mou ine]	**My number is ...** [μάι νάμμπερ ιζ]
Το κινητό μου είναι ... [to kinito mou ine]	**My mobile number is ...** [μάι μόμπαϊλ νάμμπερ ιζ]
Το νούμερο του τηλεφώ-νου / κινητού μου είναι ... [to noumero tou tilefonou / kinitou mou ine]	**The number of my phone / mobile is ...** [δε νάμμπερ οβ μάι φόουν / μόμπαϊλ ιζ]
Ποιο είναι το τηλέφωνό σου / σας; [pio ine to tilefono sou / sas]	**What's your phone number?** [γουότς γιόρ φόουν νάμμπερ]
Δώσε μου τον αριθμό του τηλεφώνου σου. [dosse mou ton arithmo tou tilefonou sou]	**Give me your phone number.** [γκιβ μι γιόρ φόουν νάμμπερ]
Η γραμμή είναι κατειλημμένη. Θέλετε να ξαναδοκιμάσετε αργότερα; [i grami ine katilimeni. thelete na xanadokimassete argotera]	**The line is busy. Do you want to try later?** [δε λάιν ιζ μπίζι. ντου γιού γουόν'τ του τράι λέιτερ]
Δεν απαντάει κανείς σ' αυτό το νούμερο. [den apaddai kanis safto to noumero]	**Noone answers this number.** [νόουαν άνσερς δις νάμμπερ]

ΣΤΟ ΤΗΛΕΦΩΝΟ [sto tilefono]	**ON THE PHONE** [ον δε φόουν]
Το τηλέφωνο μου έχει πάθει βλάβη. Μπορείτε να το φτιάξετε; [to tilefono mou ehi pathi vlavi. borite na to ftiaxete]	**My phone is out of order. Can you fix it?** [μάι φόουν ιζ άουτ οβ όρντερ. καν γιού φιξ ιτ]
Το τηλέφωνο μου δε δίνει σήμα. [to tilefono mou den dini sima]	**My phone has no signal.** [μάι φόουν χαζ νόου σίγκναλ]

ΣΤΟ ΤΕΛΩΝΕΙΟ [sto telonio]	**AT THE CUSTOMS** [ατ δε κάστομς]
Ελεύθερος δασμού. [eleftheros dasmou]	**Duty-free.** [ντιούτι φρι]
Χωρίς δασμό. / Αφορολόγητα [horis dasmo / aforologita]	**Duty-free. / Tax-free** [ντιούτι φρι / ταξ φρι]
Χώρες της Ευρωπαϊκής Ένωσης. [hores tis evropaikis enossis]	**European Community countries.** [γιουροπίαν κομιούνιτι κάν'τρις]
Χώρες εκτός Ευρωπαϊκής Ένωσης. [hores ektos evropaikis enossis]	**Countries outside European Community.** [κάν'τρις αουτσάιντ γιουροπίαν κομιούνιτι]
Ποιες είναι οι αποσκευές σας; [pies ine i aposkeves sas]	**Which is your luggage?** [γουίτσς ιζ γιόρ λάγκατζ]
Ανοίξτε αυτή εδώ την τσάντα / βαλίτσα, παρακαλώ. [anixte afti edo tin tsadda / valitsa, parakalo]	**Open this bag / suitcase, please.** [όπεν δις μπαγκ / σούτκεϊζ, πλιζ]
Έχετε τίποτα να δηλώσετε; [ehete tipota na dilossete]	**Have you got anything to declare?** [χαβ γιού γκοτ ένιθιν του ντικλέαρ]
Δεν έχω τίποτα να δηλώσω. [den eho tipota na dilosso]	**I've got nothing to declare.** [άιβ γκοτ νάθιν του ντικλέαρ]
Έχω μόνο ... [eho mono]	**I've only got ...** [άιβ όνλι γκοτ]
- **δύο μπουκάλια ουίσκι.** - [dio boukalia ouiski]	- **two bottles of whisky.** - [του μποτλς οβ γουίσκι]

ΣΤΟ ΤΕΛΩΝΕΙΟ [sto telonio]	**AT THE CUSTOMS** [ατ δε κάστομς]
- **μια φωτογραφική μηχανή.** - [mia fotografiki mihani]	- **a camera.** - [ε κάμερα]
Αυτό είναι για προσωπική μου χρήση. [afto ine gia prossopiki mou hrisi]	**This is for personal use.** [δις ιζ φορ πέρσοναλ γιούζ]
Πρέπει να πληρώσετε φόρο / δασμό γι' αυτό εδώ. [prepi na plirossete foro / dasmo giafto edo]	**You must pay the duty / tax for this one.** [γιού μαστ πέι δε ντιούτι / ταξ φορ δις ουάν]
Πόσο δασμό πρέπει να πληρώσω; [posso dasmo prepi na plirosso]	**How much tax should I pay?** [χάου ματς ταξ σσουντ άι πέι]
Έλεγχος διαβατηρίων. [eleghos diavatirion]	**Passport control.** [πάσπορτ κόν'τρολ]
Μπορώ να δω το διαβατήριο σας, παρακαλώ; [boro na do to diavatirio sas, parakalo]	**May I see your passport, please?** [μέι άι σι γιόρ πάσπορτ, πλιζ]
Είστε από χώρα εκτός Ευρωπαϊκής Ένωσης. Βίζα έχετε; [iste apo hora ektos evropaikis enossis. viza ehete]	**You come from a country outside European Community. Have you got a visa?** [γιού καμ φρομ ε κάν'τρι αουτ'σάιντ γιουροπίαν κομιούνιτι. χαβ γιού γκοτ ε βίζα]

ΣΤΟ ΤΕΛΩΝΕΙΟ [sto telonio]	**AT THE CUSTOMS** [ατ δε κάστομς]
Δεν μπορείτε να μπείτε στη χώρα χωρίς βίζα. [den borite na bite sti hora horis visa]	**You can't enter the country without a visa.** [γιού καν'τ έντερ δε κάν'τρι γουιδάουτ ε βίζα]
Πού μπορώ να βγάλω βίζα; [pou boro na vgalo viza]	**Where can I get the visa from?** [γουέρ καν άι γκετ δε βίζα φρομ]
Μπορείς να βγάλεις βίζα στα σύνορα. [boris na vgalis viza sta sinora]	**You may get a visa at the border.** [γιού μέι γκετ ε βίζα ατ δε μπόρντερ]
Η βίζα μου είναι για ένα μήνα. [i viza mou ine gia ena mina]	**My visa is valid for one month.** [μάι βίζα ιζ βάλιντ φορ ουάν μανθ]
Η βίζα σας έληξε. Πρέπει να πληρώσετε πρόστιμο. [i viza sas elixe. prepi na plirossete prostimo]	**Your visa is invalid. You must pay a fine.** [γιόρ βίζα ιζ ινβάλιντ. γιού μαστ πέι ε φάιν]
Για ποιο λόγο ήρθατε στην Ελλάδα; [gia pio logo irthate stin elada]	**Why did you come to Greece?** [γουάι ντιντ γιού καμ του γκρις]
Ήρθα για ... [irtha gia]	**I came ...** [άι κέιμ]
- **επαγγελματικούς λόγους.** - [epaggelmatikous logous]	- **on business.** - [ον μπίζνες]
- **τουρισμό.** - [tourismo]	- **as a tourist.** - [αζ ε τούριστ]

ΣΤΟ ΤΕΛΩΝΕΙΟ [sto telonio]	**AT THE CUSTOMS** [ατ δε κάστομς]
- **σπουδές.** - [spoudes]	- **to study.** - [του στάντι]
Πόσο καιρό θα μείνετε; [posso kero tha minete]	**How long will you stay?** [χάου λονγκ γουίλ γιού στέι]
Θα μείνω ... [tha mino]	**I'll stay ...** [άιλ στέι]
- **μόνο λίγες μέρες.** - [mono liges meres]	- **just for a few days.** - [τζαστ φορ ε φιού ντέιζ]
- **ένα μήνα.** - [ena mina]	- **for a month.** - [φορ ε μανθ]
Πού είναι το μαγαζί με τα αφορολόγητα; [pou ine to magazi me ta aforologita]	**Where is the duty-free shop?** [γουέαρ ιζ δε ντιούτι φρι σσοπ]
Θα ήθελα να αγοράσω μερικά δώρα για τους φίλους μου. [tha ithela na agorasso merika dora gia tous filous mou]	**I'd like to buy some presents for my friends.** [άιντ λάικ του μπάι σαμ πρέζεν'τς φορ μάι φρένντς]

ΣΤΟ ΚΟΜΜΩΤΗΡΙΟ – ΣΤΟ ΚΟΥΡΕΙΟ [sto komotirio – sto kourio]	**AT THE HAIRDRESSER'S – AT THE BARBER'S** [ατ δε χέρντρέσερς – ατ δε μπάρμπερς]
Χτένα [htena]	**Comb** [κομμπ]
Ψαλίδι [psalidi]	**Scissors** [σίζορς]
Χτένισμα [htenisma]	**Hairdressing** [χέαρντρέσιν]
Χωρίστρα [horistra]	**Parting** [πάρτιν]
Θα ήθελα να κλείσω ένα ραντεβού για ... [tha ithela na klisso ena raddevou gia]	**I'd like to make an appointment for ...** [άιντ λάικ του μέικ εν απόιν'τμεν'τ φορ]
- **σήμερα.** - [simera]	- **today.** - [τουντέι]
- **αύριο.** - [avrio]	- **tomorrow.** - [τουμόροου]
- **την Παρασκευή.** - [tin paraskevi]	- **Friday.** - [φράιντεϊ]
Τι θέλετε να κάνετε; [ti thelete na kanete]	**What would you like to do?** [γουότ γουντ γιού λάικ του ντου]
Θα ήθελα κούρεμα και χτένισμα. [tha ithela kourema ke htenisma]	**I'd like to have my hair cut and done.** [άιντ λάικ του χαβ μάι χέαρ κατ εννт νταν]

ΣΤΟ ΚΟΜΜΩΤΗΡΙΟ – ΣΤΟ ΚΟΥΡΕΙΟ [sto komotirio – sto kourio]	**AT THE HAIRDRESSER'S – AT THE BARBER'S** [ατ δε χέρντρέσερς – ατ δε μπάρμπερς]
Θα λουστείτε εδώ; [tha loustite edo]	**Will you have your hair washed here?** [γουίλ γιού χαβ γιόρ χέαρ γουόσσντ χίαρ]
Όχι, ευχαριστώ. Λούστηκα σπίτι. [ohi, efharisto. loustika spiti]	**No, thank you. I did it at home.** [νόου, θένκιου. άι ντιντ ιτ ατ χόουμ]
Θα ήθελα να μου κόψετε μόνο τις μύτες και να τα χτενίσω διαφορετικά. [tha ithela na mou kopsete mono tis mites ke na ta htenisso diaforetika]	**I'd like to have the ends cut and have my hair differently dressed.** [άιντ λάικ του χαβ δι εννντς κατ εννντ χαβ μάι χέαρ ντίφρεν'τλι ντρεσντ]
Θέλω να μου τα κόψετε πολύ κοντά. [thelo na mou ta kopsete poli kodda]	**I'd like my hair cut very short.** [άιντ λάικ μάι χέαρ κατ βέρι σσορτ]
Θα ήθελα ένα τελείως διαφορετικό στιλ από αυτό που έχω τώρα. [tha ithela ena telios diaforetiko stil apo afto pou eho tora]	**I'd like a completeley different haircut than the one I've got now.** [άιντ λάικ ε κομ'πλίτλι ντίφρεν'τ χέαρκατ δαν δε ουάν άιβ γκοτ νάου]
Θα ήθελα να κάνω περμανάντ. [tha ithela na kano permanadd]	**I'd like a perm.** [άιντ λάικ ε περμ]

ΣΤΟ ΚΟΜΜΩΤΗΡΙΟ – ΣΤΟ ΚΟΥΡΕΙΟ [sto komotirio – sto kourio]	**AT THE HAIRDRESSER'S – AT THE BARBER'S** [ατ δε χέρντρέσερς – ατ δε μπάρμπερς]
Θα ήθελα να τα βάψω. [tha ithela na ta vapso]	**I'd like my hair dyed.** [άιντ λάικ μάι χέαρ ντάιντ]
Τι χρώμα θέλετε να τα κάνετε; [ti hroma thelete na ta kanete]	**What colour?** [γουότ κάλαρ]
Θα ήθελα να τα κάνετε ... [tha ithela na ta kanete]	**I'd like it ...** [άιντ λάικ ιτ]
- **καστανά.** - [kastana]	- **brown.** - [μπράουν]
- **ξανθά.** - [xantha]	- **blond.** - [μπλοννт]
- **κόκκινα.** - [kokina]	- **red.** - [ρεντ]
- **μαύρα.** - [mavra]	- **black.** - [μπλακ]
- **ένα τόνο πιο ανοιχτό από αυτό.** - [ena tono pio anihto apo afto]	- **a little lighter than it is.** - [ε λιτλ λάιτερ δαν ιτ ιζ]
- **ένα χρώμα πιο σκούρο από αυτό.** - [ena hroma pio skouro apo afto]	- **a little darker than it is.** - [ε λιτλ ντάρκερ δαν ιτ ιζ]
Θα ήθελα να κάνω μανικιούρ και πεντικιούρ. [tha ithela na kano manikiour ke peddikiour]	**I'd like to make manicure and pericure.** [άιντ λάικ του μέικ μάνικιουρ εννт πέντικιουρ]

ΣΤΟ ΚΟΜΜΩΤΗΡΙΟ – ΣΤΟ ΚΟΥΡΕΙΟ [sto komotirio – sto kourio]	**AT THE HAIRDRESSER'S – AT THE BARBER'S** [ατ δε χέρντρέσερς – ατ δε μπάρμπερς]
Θέλω να μου χτενίσετε τη φράντζα προς τα αριστερά. [thelo na mou htenissete ti fraddza pros ta aristera]	**I want the fringe to the left.** [άι γουόν'τ δε φριντζ του δε λεφτ]
Θέλω να μου ξυρίσετε το μουστάκι και τις φαβορίτες. [thelo na mou xirissete to moustaki ke tis favorites]	**I want my moustache and whiskers shaved.** [άι γουόν'τ μάι μαστάσς εννт γουίσκερς σσέιβντ]
Να σας βάλω κολόνια και πούδρα; [na sas valo kolonia ke poudra]	**Shall I put some perfume and face-powder?** [σσαλ άι πουτ σαμ περφιούμ εννт φέις-πάουντερ]
Σηκώστε το κεφάλι να σας βάλω κρέμα ξυρίσματος. [sikoste to kefali na sas valo krema xirismatos]	**Raise your head so that I can put some shaving cream.** [ρέιζ γιόρ χεντ σόου δατ άι καν πουτ σαμ σσέιβιν κριμ]

ΣΤΟ ΚΑΘΑΡΙΣΤΗΡΙΟ [sto katharistirio]	**AT THE LAUNDRY** [ατ δε λόντρι]
Έχω αυτά τα ... [eho afta ta]	**I have these ...** [άι χαβ διζ]
- **ρούχα.** - [rouha]	- **clothes.** - [κλόουδζ]
- **χαλιά.** - [halia]	- **carpets.** - [κάρπετς]
- **σεντόνια.** - [seddonia]	- **sheets.** - [σσιτς]
- **δερμάτινα.** - [dermatina]	- **leather clothes.** - [λέδερ κλόουδζ]
Θέλουν ... [theloun]	**They need ...** [δέι νιντ]
- **στεγνό καθάρισμα.** - [stegno katharisma]	- **dry cleaning.** - [ντράι κλίνιν]
- **καθάρισμα.** - [katharisma]	- **cleaning.** - [κλίνιν]
- **σιδέρωμα.** - [sideroma]	- **ironing.** - [άιρονιν]
Μπορείτε να βγάλετε αυτό το λεκέ από κόκκινο κρασί; [borite na vgalete afto to leke apo kokino krassi]	**Can you remove this red wine stain?** [καν γιού ριμούβ δις ρεντ γουάιν στέιν]
Αυτός ο λεκές δε βγαίνει δυστυχώς. [aftos o lekes den vgeni distihos]	**Unfortunately this stain can't be removed.** [ανφόρτιουνετλι δις στέιν καν'τ μπι ριμούβντ]
Τι όνομα να γράψω στην απόδειξη; [ti onoma na grapso stin apodixi]	**What name shall I write on the receipt?** [γουότ νέιμ σσαλ άι ράιτ ον δε ρισίτ]

ΣΤΟ ΚΑΘΑΡΙΣΤΗΡΙΟ [sto katharistirio]	**AT THE LAUNDRY** [ατ δε λόντρι]
Πότε θα είναι έτοιμο; [pote tha ine etimo]	**When will it be ready?** [γουέν γουίλ ιτ μπι ρέντι]
Θα είναι έτοιμο ... [tha ine etimo]	**It will be ready ...** [ιτ γουίλ μπι ρέντι]
- αύριο. - [avrio]	**- tomorrow.** - [τουμόροου]
- σε τρεις μέρες. - [se tris meres]	**- in three days.** - [ιν θρι ντέιζ]
Πόσο θα κοστίσει / στοιχίσει; [posso tha kostissi / stihissi]	**How much will it cost?** [χάου ματς γουίλ ιτ κοστ]
Σε τι όνομα τα έχετε αφήσει; [se ti onoma ta ehete afissi]	**What name have you given?** [γουότ νέιμ χαβ γιού γκίβεν]
Το όνομα μου είναι ... [to onoma mou ine]	**My name is ...** [μάι νέιμ ιζ]
Σας έφερα τη Δευτέρα κάτι ρούχα για καθάρισμα. [sas efera ti deftera kati rouha gia katharisma]	**I brought some clothes for cleaning last Monday.** [άι μπρότ σαμ κλόουδζ φορ κλίνιν λαστ μάννται]
Έχετε την απόδειξη μαζί σας; [ehete tin apodixi mazi sas]	**Have you got the receipt?** [χαβ γιού γκοτ δε ρισίτ]

ΣΤΟ ΘΕΑΤΡΟ – ΣΤΟ ΣΙΝΕΜΑ [sto theatro – sto sinema]	**AT THE THEATRE – AT THE CINEMA** [ατ δε θίατερ – ατ δε σίνεμα]
Ηθοποιός [ithopios]	**Actor, actress** [άκτορ, άκτρες]
Μπαλέτο [baleto]	**Ballet** [μπάλετ]
Σκηνή [skini]	**Scene / stage** [σιν / στέιτζ]
Τι ώρα αρχίζει / τελειώνει ... [ti ora arhizi / telioni]	**What time does ... start / finish?** [γουότ τάιμ νταζ ... σταρτ / φίνισς]
- **η παράσταση;** - [i parastassi]	- **the performance ...** - [δε περφόρμανς]
- **το έργο;** - [to ergo]	- **the play / film ...** - [δε πλέι / φιλμ]
Ταινία ... [tenia]	**A ... film.** [ε ... φιλμ]
- **αστυνομική.** - [astinomiki]	- **detective** - [ντετέκτιβ]
- **αισθηματική.** - [esthimatiki]	- **love** - [λαβ]
- **κοινωνική.** - [kinoniki]	- **social** - [σόσσαλ]
- **πολεμική.** - [polemiki]	- **war** - [γουόρ]
- **ιστορική.** - [istoriki]	- **history** - [χίστορι]
- **φαντασίας.** - [faddassias]	- **science fiction** - [σάιενς φικσον]
- **θρίλερ.** - [thriler]	- **thriller** - [θρίλερ]

ΣΤΟ ΘΕΑΤΡΟ – ΣΤΟ ΣΙΝΕΜΑ [sto theatro – sto sinema]	**AT THE THEATRE – AT THE CINEMA** [ατ δε θίατερ – ατ δε σίνεμα]
Παρακαλώ δώστε μου δύο εισιτήρια για το έργο ... [parakalo doste mou dio issitiria gia to ergo]	**Will you please give me two tickets for...** [γουίλ γιού πλιζ γκιβ μι του τίκετς φορ]
Έχουν μείνει λίγες θέσεις ... [ehoun mini liges thessis]	**There are only a few empty seats...** [δέαρ αρ όνλι ε φιού έμτι σιτς]
- **στην πλατεία.** - [stin platia]	- **at the stalls.** - [ατ δε στολς]
- **στον εξώστη.** - [ston exosti]	- **at the gallery.** - [ατ δε γκάλερι]
Μπορώ να δω τα εισιτήριά σας; [boro na do ta issitiria sas]	**May I see your tickets?** [μέι άι σι γιόρ τίκετς]
Μου δίνετε ένα πρόγραμμα παρακαλώ; [mou dinete ena programma parakalo]	**Can I have a bill please?** [καν άι χαβ ε μπιλ πλιζ]
Η αυλαία σηκώθηκε. Η παράσταση αρχίζει. [i avlea sikothike. i parastassi arhizi]	**The curtain is up. The performance begins.** [δε κέρτεν ιζ απ. δε περφόρμανς μπιγκίνς]
Πώς σου φάνηκε το έργο; [pos sou fanike to ergo]	**How did you like the film?** [χάου ντιντ γιού λάικ δε φιλμ]
Ο σκηνοθέτης έκανε πολύ καλή δουλειά. [o skinothetis ekane poli kali doulia]	**The director did a great job.** [δε νταϊρέκτορ ντιντ ε γκρέιτ τζομπ]

ΣΤΟ ΘΕΑΤΡΟ – ΣΤΟ ΣΙΝΕΜΑ [sto theatro – sto sinema]	**AT THE THEATRE – AT THE CINEMA** [ατ δε θίατερ – ατ δε σίνεμα]
Σου άρεσε η παράσταση; [sou aresse i parastassi]	**Did you like the performance?** [ντιντ γιού λάικ δε περφόρμανς]
Ήταν ... [itan]	**It was ...** [ιτ γουόζ]
- **μέτρια.** - [metria]	- **indifferent.** - [ινντίφερεν'τ]
- **πολύ καλή.** - [poli kali]	- **very good.** - [βέρι γκουντ]
- **βαρετή.** - [vareti]	- **boring.** - [μπόριν]
Μου άρεσαν ... [mou aressan]	**I liked...** [άι λάικντ]
- **τα σκηνικά.** - [ta skinika]	- **the setting.** - [δε σέτιν]
- **τα κουστούμια.** - [ta koustoumia]	- **the costumes.** - [δε κόστιουμς]
- **ο πρωταγωνιστής.** - [o protagonistis]	- **the leading actor.** - [δε λίντιν άκτορ]
- **η πρωταγωνίστρια.** - [i protagonistria]	- **the leading actress.** - [δε λίντιν άκτρες]
Προτιμώ τις κωμωδίες από τις τραγωδίες. [protimo tis komodies apo tis tragodies]	**I prefer comedies to tragedies.** [άι πριφέρ κόμεντιζ του τράτζεντιζ]
Τι τραγωδία! [ti tragodia]	**What a tragedy!** [γουότ ε τράτζεντι]

ΣΤΟ ΘΕΑΤΡΟ – ΣΤΟ ΣΙΝΕΜΑ [sto theatro – sto sinema]	**AT THE THEATRE – AT THE CINEMA** [ατ δε θίατερ – ατ δε σίνεμα]
Πόσο διαρκεί το διάλειμμα; [posso diarki to dialima]	**How long does the break last?** [χάου λονγκ νταζ δε μπρέικ λαστ]
Πάμε στο φουαγιέ ... [pame sto fouagie]	**Let's go to the foyer ...** [λετς γκόου του δε φούαγιε]
- **να καπνίσω ένα τσιγάρο.** - [na kapnisso ena tsigaro]	- **to smoke a cigarette.** - [του σμόουκ ε σίγκαρετ]
- **να πιω μια πορτοκαλάδα.** - [na pio mia portokalada]	- **to drink an orange-juice.** - [του ντρινκ εν όραντζ τζους]
Η παράσταση είχε τρομερή επιτυχία. Στο τέλος όλοι σηκώθηκαν να χειροκροτήσουν. [i parastassi ihe tromeri epitihia. sto telos oli sikothikan na hirokrotissoun]	**The performance was a smashing success. Everyone cheered loudly when it finished.** [δε περφόρμανς γουόζ ε σμάσσιν σαξές. έβριουαν τσσιρντ λάουντλι γουέν ιτ φίνισσντ]
Αυτό το έργο πήρε τα περισσότερα ΟΣΚΑΡ φέτος. [afto to ergo pire ta perissotera oskar fetos]	**This film took more Oscars than any other this year.** [δις φιλμ τουκ μορ όσκαρς δαν ένι άδερ δις γίαρ]

ΤΟ ΜΟΥΣΕΙΟ – ΤΑ ΑΞΙΟΘΕΑΤΑ [to moussio – ta axiotheata]	**THE MUSEUM – THE SIGHTS** [δε μιουζίαμ – δε σάιτς]
Άγαλμα / Βουλή [agalma / vouli]	**Statue / Parliament** [στάτσου / πάρλιαμεν'τ]
Αρχιτεκτονική [arhitektoniki]	**Architecture** [αρκιτέκτσουρ]
Γέφυρα / Κάστρο [gefira / kastro]	**Bridge / Castle** [μπριτζ / κασλ]
Δημαρχείο [dimarhio]	**Town Hall** [τάουν χολ]
Δικαστήριο [dikastirio]	**Court** [κορτ]
Μητρόπολη [mitropoli]	**Cathedral** [καθίντραλ]
Μνημείο / Ναός [mnimio / naos]	**Monument / Temple** [μόνιουμεν'τ / τεμ'πλ]
Μοναστήρι [monastiri]	**Monastery** [μόναστρι]
Όπερα [opera]	**Opera** [όπρα]
Παλάτι / Πύργος [palati / pirgos]	**Palace / Tower** [πάλας / τάουερ]
Πάρκο / Πλατεία [parko / platia]	**Park / Square** [παρκ / σκουέαρ]
Πίνακας [pinakas]	**Painting** [πέιν'τιν]
Τουρίστας / τουρίστρια [touristas / touristria]	**Tourist** [τούριστ]
Φρούριο / Φύλακας [frourio / filakas]	**Fortress / Guard** [φόρτρες / γκαρντ]
Αρχαιολογικός χώρος. [arheologikos horos]	**Archeological site.** [αρκιολότζικαλ σάιτ]

ΤΟ ΜΟΥΣΕΙΟ – ΤΑ ΑΞΙΟΘΕΑΤΑ [to moussio – ta axiotheata]	**THE MUSEUM – THE SIGHTS** [δε μιουζίαμ – δε σάιτς]
Αψίδα του θριάμβου. [apsida tou thriamvou]	**Arch of triumph.** [αρκ οβ τράιομφ]
Μαρμάρινες κολώνες. [marmarines kolones]	**Marble columns.** [μάρμπλ κόλιουμνς]
Παλαιό / σύγχρονο κτίριο. [paleo / sighrono ktirio]	**Old / Modern building.** [ολντ / μόντερν μπίλντιν]
Τουριστικός οδηγός. [touristikos odigos]	**Tourist Guide book.** [τούριστ γκάιντ μπουκ]
Τι ώρα ανοίγει / κλείνει ... [ti ora anigi / klini]	**What time does ... open / close?** [γουότ τάιμ νταζ ... οπεν / κλόουζ]
- **η πινακοθήκη;** - [i pinakothiki]	- **the art gallery ...** - [δι αρτ γκάλερι]
- **το μουσείο;** - [to moussio]	- **the museum ...** - [δε μιουζίαμ]
Είναι ανοιχτό κάθε μέρα, εκτός από Δευτέρα, από τις 8 ως τις 5 το απόγευμα. [ine anihto kathe mera, ektos apo deftera, apo tis okto os tis pedde to apogevma]	**It's open every day, except Monday, from 8 a.m. to 5 p.m.** [ιτς όπεν έβρι ντέι, εξέπτ μάνντεϊ, φρομ έιτ έι εμ του φάιβ πι εμ]
Μου δίνετε ένα εισιτήριο, παρακαλώ; [mou dinete ena issitirio, parakalo]	**Can I have a ticket, please?** [καν άι χαβ ε τίκετ πλιζ]
Υπάρχει ξεναγός να μας εξηγήσει κάποια πράγματα; [iparhi xenagos na mas exigissi kapia pragmata]	**Is there a tour guide to explain certain things to us?** [ιζ δέαρ ε τουρ γκάιντ του εξπλέιν σέρτεν θινγκς του αζ]

ΤΟ ΜΟΥΣΕΙΟ – ΤΑ ΑΞΙΟΘΕΑΤΑ [to moussio – ta axiotheata]	**THE MUSEUM – THE SIGHTS** [δε μιουζίαμ – δε σάιτς]
Μήπως ξέρετε πού θα βρω ένα χάρτη της πόλης; [mipos xerete pou tha vro ena harti tis polis]	**Do you know where I can find a map of the city?** [ντου γιού νόου γουέαρ άι καν φάιννт ε μαπ οβ δε σίτι]
Μπορείτε να μου πείτε τι είναι αυτό το κτίριο; [borite na mou pite ti ine afto to ktirio]	**Can you tell me what this building is?** [καν γιού τελ μι γουότ δις μπίλντιν ιζ]
Μπορείτε να μου δείξετε πού είναι η είσοδος / έξοδος; [borite na mou dixete pou ine i issodos / exodos]	**Can you show me where the entrance / exit is?** [καν γιού σσόου μι γουέαρ δι έν'τρανς / έγκζιτ ιζ]
Απαγορεύεται η φωτογράφηση. [apagorevete i forografissi]	**Taking pictures is prohibited.** [τέικιν πίκτσερς ιζ προχίμπιτεντ]
Μπορείτε να μου βγάλετε μια φωτογραφία, παρακαλώ; [borite na mou vgalete mia fotografia, parakalo]	**Can you shoot a photo of me, please?** [καν γιού σσουτ ε φότο οβ μι, πλιζ]
Αυτή η εκκλησία είναι ... [afti i eklissia ine]	**This church is ...** [δις τσσερτσς ιζ]
- **γοτθικού ρυθμού.** - [gotthikou rithmou]	- **of gothic style.** - [οβ γκόθικ στάιλ]
- **βυζαντινού ρυθμού.** - [vizaddinou rithmou]	- **of byzantine style.** - [οβ μπάιζαν'ταϊν στάιλ]
- **βασιλική.** - [vassiliki]	- **basilica.** - [μπασίλικα]

ΤΟ ΜΟΥΣΕΙΟ – ΤΑ ΑΞΙΟΘΕΑΤΑ [to moussio – ta axiotheata]	**THE MUSEUM – THE SIGHTS** [δε μιουζίαμ – δε σάιτς]
Αυτή η κολώνα είναι ... [afti i kolona ine]	**This column is ...** [δις κόλιουμν ιζ]
- **Ιονικού ρυθμού.** - [ionikou rithmou]	- **of Ionian order.** - [οβ ιόουνιαν όρντερ]
- **Κορινθιακού ρυθμού.** - [korinthiakou rithmou]	- **of Corinthian order.** - [οβ κορίνθιαν όρντερ]
- **Δωρικού ρυθμού.** - [dorikou rithmou]	- **of Doric order.** - [οβ ντόρικ όρντερ]
Ο αρχαιολογικός χώρος είναι κλειστός λόγω επισκευών / αναπαλαίωσης. [o arheologikos horos ine klistos logo episkevon / anapaleossis]	**The archeological sight is closed due to repair works / restoration works.** [δι αρκιολότζικαλ σάιτ ιζ κλόουζντ ντιού του ριπέαρ γουέρκς / ριστορέισσν γουέρκς]
Οι ανασκαφές άρχισαν το 1875. [i anaskafes arhissan to hilia oktakossia evdomidda pedde]	**The excavations started in 1875.** [δι εξκαβέισσνς στάρτεντ ιν ειτίν σέβεν΄τι φάιβ]

ΤΑ ΣΠΟΡ (ΠΟΔΟΣΦΑΙΡΟ – ΜΠΑΣΚΕΤ) [ta spor (podosfero – basket)]	**THE SPORTS (FOOTBALL – BASKETBALL)** [δε σπορτς (φούτμπολ – μπάσκετμπολ)]
Αγώνας δρόμου. [agonas dromou]	**Race** [ρέις]
Αγώνας ταχύτητας. [agonas tahititas]	**Speed contest.** [σπιντ κόν'τεστ]
Αθλητής, αθλήτρια [athlitis, athlitria]	**Athlete** [άθλετ]
Αθλητισμός [athlitismos]	**Athletics** [αθλέτικς]
Ακοντισμός [akoddismos]	**Javelin throwing.** [τζάβελιν θρόουιν]
Άλμα εις μήκος / ύψος. [alma is mikos / ipsos]	**Long / high jump.** [λονγκ / χάι τζαμ'π]
Άλμα εις τριπλούν. [alma is triploun]	**Triple jump.** [τριπλ τζαμ'π]
Αντίπαλος [addipalos]	**Competitor** [κομ'πέτιτορ]
Ιππασία [ipassia]	**Riding** [ράιντιν]
Καλάθι [kalathi]	**Basket** [μπάσκετ]
Κολύμβηση [kolimvissi]	**Swimming** [σουίμιν]
Κολυμβητήριο [kolimvitirio]	**Swimming-pool** [σουίμιν πουλ]
Προπονητής [proponitis]	**Coach / trainer** [κόουτσ / τρέινερ]

ΤΑ ΣΠΟΡ (ΠΟΔΟΣΦΑΙΡΟ – ΜΠΑΣΚΕΤ) [ta spor (podosfero – basket)]	**THE SPORTS (FOOTBALL – BASKETBALL)** [δε σπορτς (φούτμπολ – μπάσκετμπολ)]
Πυγμαχία [pigmahia]	**Boxing** [μπόξιν]
Ρίψη ... [ripsi]	**Throwing of ...** [θρόουιν οβ]
- **ακοντίου.** - [akoddiou]	- **javelin.** - [τζάβελιν]
- **δίσκου.** - [diskou]	- **discus.** - [ντίσκους]
- **σφαίρας.** - [sferas]	- **shot.** - [σσοτ]
Σκάκι [skaki]	**Chess** [τσσες]
Σκι [ski]	**Skiing** [σκίιν]
Σφαίρα [sfera]	**Shot** [σσοτ]
Τα πιο δημοφιλή αθλήματα στην Ελλάδα είναι: [ta pio dimofili athlimata stin elada ine]	**The most popular sports in Greece are:** [δε μόουστ πόπιουλαρ σπορτς ιν γκρις αρ]
- **το ποδόσφαιρο.** - [to podosfero]	- **football.** - [φούτμπολ]
- **το μπάσκετ.** - [to basket]	- **basketball.** - [μπάσκετμπολ]

ΤΑ ΣΠΟΡ (ΠΟΔΟΣΦΑΙΡΟ – ΜΠΑΣΚΕΤ) [ta spor (podosfero – basket)]	**THE SPORTS (FOOTBALL – BASKETBALL)** [δε σπορτς (φούτμπολ – μπάσκετμπολ)]
Ποιος κατέρριψε το παγκόσμιο ρεκόρ στη σφαιροβολία, στην Ολυμπιάδα του 1996; [pios kateripse to paggosmio rekor sti sferovolia, stin olibiada tou hilia eniakossia enenidda exi]	**Who smashed the world record in shot throwing, in the Olympic Games of 1996?** [χου σμασσντ δε γουόρλντ ρέκορντ ιν σσοτ θρόουιν ιν δι ολίμ'πικ γκέιμς οβ ναιν'τίν νάιν'τι σιξ]
Ποιος είναι ο πρωταθλητής Ελλάδος ... [pios ine o protathlitis elados]	**Who is the champion of Greece ...** [χου ιζ δε τσσάμ'πιον οβ γκρις]
- **στο άλμα επί κοντώ;** - [sto alma epi koddo]	- **in the pole vault?** - [ιν δε πόουλ βολτ]
- **στη σφαιροβολία;** - [sti sferovolia]	- **in the shot throwing?** - [ιν δε σσοτ θρόουιν]
- **στο ακόντιο;** - [sto akoddio]	- **in the javelin throwing?** - [ιν δε τζάβελιν θρόουιν]
Η Αγγλία πήρε 2 χρυσά, 3 αργυρά και 8 χάλκινα μετάλλια στην Ολυμπιάδα του ΣΙΔΝΕΥ. [i agglia pire dio hrissa, tria argira ke okto halkina metalia stin olïbiada tou sidnei]	**Great Britain won 2 gold, 3 silver and 8 bronze medals in the Olympics of Sidney.** [γκρέιτ μπρίτεν γουόν του γκολντ, θρι σίλβερ εννт έιτ μπρονζ μένταλς ιν δι ολίμ'πικς οβ σίντνι]

ΤΑ ΣΠΟΡ (ΠΟΔΟΣΦΑΙΡΟ – ΜΠΑΣΚΕΤ) [ta spor (podosfero – basket)]	**THE SPORTS (FOOTBALL – BASKETBALL)** [δε σπορτς (φούτμπολ – μπάσκετμπολ)]
Οι κυριότερες ομάδες ποδοσφαίρου της Ελλάδος είναι: [i kirioteres omades podosferou tis elados ine]	**The major football teams in Greece are:** [δε μέιτζορ φούτμπολ τιμς ιν γκρις αρ]
- **ο Παναθηναϊκός.** - [o panathinaikos]	- **Panathinaikos.** - [παναθινάικος]
- **ο Ολυμπιακός.** - [o olibiakos]	- **Olympiakos.** - [ολιμ'πίακος]
Οι κυριότερες ομάδες ποδοσφαίρου της Αγγλίας είναι: [i kirioteres omades podosferou tis agglias ine]	**The major football teams in England are:** [δε μέιτζορ φούτμπολ τιμς ιν ίνγκλαννt αρ]
- **η Άρσεναλ.** - [i arsenal]	- **Arsenal.** - [άρσεναλ]
- **η Μάντσεστερ.** - [i mantssester]	- **Manchester United.** - [μάντσσεστερ γιουνάιτεντ]
Τα πιο θεαματικά αγωνίσματα είναι ... [ta pio theamatika agonismata ine]	**The most spectacular sports are ...** [δε μόουστ σπεκτάκιουλαρ σπορτς αρ]
- **οι σκυταλοδρομίες.** - [i skitalodromies]	- **relay races.** - [ρίλεϊ ρέισιζ]
- **οι δρόμοι μετ' εμποδίων.** - [i dromi met ebodion]	- **hurdle races.** - [χάρντλ ρέισιζ]

ΤΑ ΣΠΟΡ (ΠΟΔΟΣΦΑΙΡΟ – ΜΠΑΣΚΕΤ) [ta spor (podosfero – basket)]	**THE SPORTS (FOOTBALL – BASKETBALL)** [δε σπορτς (φούτμπολ – μπάσκετμπολ)]
Φέτος οι Βαλκανικοί αγώνες στίβου διεξάγονται στην ... [fetos i valkaniki agones stivou diexagodde stin]	**This year the Balkan Games are held in ...** [δις γίαρ δε μπάλκαν γκέιμς αρ χελντ ιν]
Σε ποιο στάδιο θα γίνουν οι Βαλκανικοί αγώνες; [se pio stadio tha ginoun i valkaniki agones]	**Which stadium will the Balkan Games be held in?** [γουίτσς στέιντιουμ γουίλ δε μπάλκαν γκέιμς μπι χελντ ιν]
Άρχισε η τελετή της απονομής των βραβείων. [arhisse i teleti tis aponomis ton vravion]	**The ceremony for the award of the medals has started.** [δε σέρεμονι φορ δι αγουόρντ οβ δε μένταλς χαζ στάρτεντ]
Στο βάθρο των νικητών ανεβαίνουν οι αθλητές που κατέλαβαν τις τρεις πρώτες θέσεις. [sto vathro ton nikiton anevenoun i athlites pou katelavan tis tris protes thessis]	**The athletes who have won the first three medals take their places on the pedestal.** [δι άθλετς χου χαβ γουόν δε φερστ θρι μένταλς τέικ δέιρ πλέισιζ ον δε πεντέσταλ]
Οι αγώνες ποδοσφαίρου ... [i agones podosferou]	**The football matches...** [δε φούτμπολ μάτσσιζ]
- **για το Κύπελλο άρχισαν.** - [gia to kipelo arhissan]	- **for the Cup started.** - [φορ δε καπ στάρτιντ]

ΤΑ ΣΠΟΡ (ΠΟΔΟΣΦΑΙΡΟ – ΜΠΑΣΚΕΤ) [ta spor (podosfero – basket)]	**THE SPORTS (FOOTBALL – BASKETBALL)** [δε σπορτς (φούτμπολ – μπάσκετμπολ)]
- **για το πρωτάθλημα άρχισαν.** - [gia to protathlima arhissan]	- **for the Championship started.** - [φορ δε τσσάμ'πιονσσιπ στάρτιντ]
Υπάρχουν ομάδες που παίζουν ... [iparhoun omades pou pezoun]	**There are teams which play...** [δέαρ αρ τιμς γουίτσς πλέι]
- **στην πρώτη κατηγορία.** - [stin proti katigoria]	- **in the first division.** - [ιν δε φερστ ντιβίζν]
- **στη δεύτερη κατηγορία.** - [sti defteri katigoria]	- **in the second division.** - [ιν δε σέκοννт διβίζν]
Ο τερματοφύλακας έσωσε την κατάσταση. [o termatofilakas essosse tin katastassi]	**The goalkeeper saved his team.** [δε γκόουλκίπερ σέιβντ χιζ τιμ]
Τι σπάνια ευκαιρία έχασε ο κεντρικός κυνηγός! [ti spania efkeria ehasse o keddrikos kinigos]	**What a great chance the centre forward lost!** [γουότ ε γκρέιτ τσσανς δε σεν'τρ φόργουορντ λοστ]
Η επίθεση είναι καλύτερη από την άμυνα. [i epithessi ine kaliteri apo tin amina]	**Attack is better than defence.** [ατάκ ιζ μπέτερ δαν ντιφένς]
Η μπάλα χτύπησε δοκάρι. [i bala htipisse dokari]	**The ball hit the goalpost.** [δε μπόουλ χιτ δε γκόουλποστ]
Ποιος έβαλε το γκολ; [pios evale to ggol]	**Who scored the goal?** [χου σκορντ δε γκόουλ]

ΤΑ ΣΠΟΡ (ΠΟΔΟΣΦΑΙΡΟ – ΜΠΑΣΚΕΤ) [ta spor (podosfero – basket)]	**THE SPORTS (FOOTBALL – BASKETBALL)** [δε σπορτς (φούτμπολ – μπάσκετμπολ)]
Ο ... με κεφαλιά έβαλε γκολ. [o … me kefalia evale ggol]	**... headed a goal.** [… χέντεντ ε γκόουλ]
Άρχισε / έληξε το πρώτο ημίχρονο. [arhisse / elixe to proto imihrono]	**The first half-time started / finished.** [δε φερστ χαφ τάιμ στάρτεντ / φίνισσντ]
Ποια είναι τα προγνωστικά για το τελικό αποτέλεσμα; [pia ine ta prognostika gia to teliko apotelesma]	**What are the pools for the final result?** [γουότ αρ δε πουλς φορ δε φάιναλ ριζάλτ]
Ο Ολυμπιακός πέρασε στην αντεπίθεση. [o olibiakos perasse stin addepithessi]	**Olympiakos counter-attacked.** [ολιμ'πίακος κάουν'τερ ατάκντ]
Έμειναν μόνο δύο λεπτά ως τη λήξη του παιχνιδιού. [eminan mono dio lepta os ti lixi tou pehnidiou]	**Only two minutes remain till the match ends.** [όνλι του μίνιτς ριμέιν τιλ δε ματσς ενντς]
Ο διαιτητής σφύριξε τη λήξη του αγώνα. [o dietitis sfirixe ti lixi tou agona]	**The referee whistled for the end of the match.** [δε ρεφερί γουίσλντ φορ δι εννт οβ δε ματσς]
Το παιχνίδι είναι ισοπαλία. [to pehnidi ine issopalia]	**The match ended in a draw.** [δε ματσς έννтεντ ιν ε ντρο]
Το σκορ είναι 2-1 υπέρ της Α.Ε.Κ. [to skor ine dio ena iper tis aek]	**The score is 2-1, A.E.K. winning.** [δε σκορ ιζ του του ουάν, αεκ γουίνιν]

ΤΟ ΤΑΞΙΔΙ [to taxidi]	**THE TRAVEL** [δε̦ τράβελ]
Πρακτορείο ταξιδιών. [praktorio taxidion]	**Travel agency.** [τράβελ έιτζενσι]
Μπορείτε να μου πείτε πώς θα πάω ...; [borite na mou pite pos tha pao]	**Can you tell me how to go to ...?** [καν γιού τελ μι χάου του γκόου του]
Το μουσείο είναι ... [to moussio ine]	**The museum is ...** [δε μιουζίουμ ιζ]
- **πολύ κοντά. Μπορείτε να πάτε με τα πόδια.** - [poli kodda. borite na pate me ta podia]	- **very close. You can go on foot.** - [βέρι κλόουζ. γιού καν γκόου ον φουτ]
- **στον πρώτο δρόμο δεξιά / αριστερά.** - [ston proto dromo dexia / aristera]	- **at the first road on the right / left.** - [ατ δε φερστ ρόουντ ον δε ράιτ / λεφτ]
- **όλο ευθεία. Θα το βρείτε στο δεξί σας χέρι.** - [olo efthia. tha to vrite sto dexi sas heri]	- **straight ahead. You'll find it on your right arm.** - [στρέιτ αχέντ. γιούλ φάινντ ιτ ον γιόρ ράιτ αρμ]
Πόσο μακριά είναι από δω; [posso makria ine apo do]	**How far is it from here?** [χάου φαρ ιζ ιτ φρομ χίαρ]
Είναι κάπου 10 λεπτά ... [ine kapou deka lepta]	**It's about 10 minutes ...** [ιτς αμπάουτ τεν μίνιτς]
- **με το αυτοκίνητο.** - [me to aftokinito]	- **by car.** - [μπάι καρ]
- **με τα πόδια.** - [me ta podia]	- **on foot.** - [ον φουτ]
Δεν είναι τόσο μακριά. [den ine tosso makria]	**It's not that far.** [ιτς νοτ δατ φαρ]

ΤΟ ΤΑΞΙΔΙ [to taxidi]	**THE TRAVEL** [δε τράβελ]
Είναι λίγο πιο κάτω. [ine ligo pio kato]	**It's just a little way ahead.** [ιτς τζαστ ε λιτλ γουέι αχέντ]
Σε ποια κατεύθυνση είναι ...; [se pia katefthinsi ine]	**In what direction is …?** [ιν γουότ νταϊρέκσσν ιζ]
Πρέπει να γυρίσετε προς τα πίσω. Έχετε προσπεράσει ... [prepi na girissete pros ta pisso. ehete prosperassi]	**You must go back. You have gone past …** [γιού μαστ γκόου μπακ. γιού χαβ γκον παστ]
- **το κτίριο.** - [to ktirio]	- **the building.** - [δε μπίλντιν]
- **το δρόμο / την οδό.** - [to dromo / tin odo]	- **the road / the street.** - [δε ρόουντ / δε στριτ]
Μπορείτε να μου πείτε πού είναι ... [borite na mou pite pou ine]	**Can you tell me where …** [καν γιου τελ μι γουέρ]
- **το αστυνομικό τμήμα;** - [to astinomiko tmima]	- **the police station is?** - [δε πολίς στέισσν ιζ]
- **η εκκλησία ...;** - [i eklissia]	- **the church is?** - [δε τσσερτσς ιζ]
- **το αεροδρόμιο;** - [to aerodromio]	- **the airport is?** - [δι έρπορτ ιζ]
- **η πρεσβεία ...;** - [i presvia]	- **the embassy is?** - [δι έμμπασι ιζ]
Πρέπει να φτιάξω τις βαλίτσες μου. [prepi na ftiaxo tis valitses mou]	**I must pack my suitcases.** [άι μαστ πακ μάι σούτκέισιζ]
Θα πάρω μαζί μου μόνο ένα σάκο και την τσάντα μου. [tha paro mazi mou mono ena sako ke tin tsadda mou]	**I'll take with me just a backpack and my bag.** [άιλ τέικ γουίδ μι τζαστ ε μπάκπακ εννт μάι μπαγκ]

ΤΟ ΤΑΞΙΔΙ [to taxidi]	**THE TRAVEL** [δε τράβελ]
Αύριο φεύγω για Αγγλία. [avrio fevgo gia agglia]	**I leave for England tomorrow.** [άι λιβ φορ ίνγκλαννт τουμόροου]
Θα ήθελα να πάω ένα ταξίδι / μια εκδρομή στο Μεξικό. [tha ithela na pao ena taxidi / mia ekdromi sto mexiko]	**I'd like to go on a trip / a tour to Mexico.** [άιντ λάικ του γκόου ον ε τριπ / ε τουρ του μέξικο]
Το γραφείο σας αναλαμβάνει εκδρομές στη Θεσσαλονίκη; [to grafio sas analamvani ekdromes sti thessaloniki]	**Does your agency organise trips to Salonica?** [νταζ γιόρ έιτζενσι όργκαναϊζ τριπς του σαλόνικα]
Οργανώνετε ταξίδια στο Μεξικό; [organonete taxidia sto mexiko]	**Do you organise trips to Mexico?** [ντου γιού όργκαναιζ τριπς του μέξικο]
Έχετε κάποιο πρόγραμμα εκδρομών / ταξιδιών; [ehete kapio programa ekdromon / taxidion]	**Have you got a trip / tour schedule?** [χαβ γιού γκοτ ε τριπ / τουρ σκέτζουλ]
Πόσες ημέρες διαρκεί το ταξίδι / η εκδρομή; [posses imeres diarki to taxidi / i ekdromi]	**How long does the trip / tour last?** [χάου λονγκ νταζ δε τριπ / τουρ λαστ]
Ποια μέρη επισκέπτεστε; [pia meri episkepteste]	**Which places do you visit?** [γουίτσς πλέισιζ ντου γιού βίζιτ]

ΤΟ ΤΑΞΙΔΙ [to taxidi]	**THE TRAVEL** [δε τράβελ]
Τι μεταφορικά μέσα χρησιμοποιείτε; [ti metaforika messa hissimopiite]	**What means of transport do you use?** [γουότ μινς οβ τράνσπορτ ντου γιού γιούζ]
Ποιο είναι το κόστος του ταξιδιού; [pio ine to kostos tou taxidiou]	**What's the cost of the trip?** [γουότς δε κοστ οβ δε τριπ]
Πόσο θα κοστίσει αυτή η εκδρομή; [posso tha kostissi afti i ekdromi]	**How much will this tour cost?** [χάου ματσ γουίλ δις τουρ κοστ]
Στο κόστος της εκδρομής περιλαμβάνονται ... [sto kostos tis ekdromis perilamvanodde]	**The cost of the tour includes ...** [δε κοστ οβ δε τουρ ινκλούντς]
- **οι διανυκτερεύσεις σε ξενοδοχείο Α΄ κατηγορίας.** - [i dianikterefsis se xenodohio alfa katigorias]	- **overnight stops in A΄ class hotels.** - [όβερναϊτ στοπς ιν έι κλας χοτέλς]
- **το πρωινό.** - [to proino]	- **breakfast.** - [μπρέκφαστ]
- **ένα γεύμα.** - [ena gevma]	- **one meal.** - [ουάν μιλ]
- **η μεταφορά με πούλμαν / αεροπλάνο.** - [i metafora me poulman / aeroplano]	- **the transport in a coach / aeroplane.** - [δε τράνσπορτ ιν ε κόουτσς / ερπλέιν]
- **ο ξεναγός.** - [o xenagos]	- **the tour guide.** - [δε τουρ γκάιντ]

ΤΟ ΤΑΞΙΔΙ [to taxidi]	**THE TRAVEL** [δε τράβελ]
Στο κόστος του ταξιδιού δεν περιλαμβάνονται ... [sto kostos tou taxidiou den perilamvanodde]	**The cost of the tour does not include ...** [δε κοστ οβ δε τουρ νταζ νοτ ινκλούντ]
- **τα εισιτήρια των μουσείων.** - [ta issitiria ton moussion]	- **museum tickets.** - [μιουζίαμ τίκετς]
- **οι βίζες.** - [i vizes]	- **visas.** - [βίζας]

ΤΟ ΑΥΤΟΚΙΝΗΤΟ / ΤΟ ΑΜΑΞΙ [to aftokinito / to amaxi]	**THE CAR** [δε καρ]
Διασταύρωση [diastavrossi]	**Crossing** [κρόσιν]
Διόδια [diodia]	**Tolls** [τολς]
Καθρέφτης [kathreftis]	**Mirror** [μίρορ]
Καλοριφέρ [kalorifer]	**Heater** [χίτερ]
Κλειδί [klidi]	**Key** [κι]
Κόρνα [korna]	**Horn** [χορν]
Κυκλοφορία [kikloforia]	**Traffic** [τράφικ]
Μίζα [miza]	**Starter** [στάρτερ]
Μονόδρομος [monodromos]	**One-way street** [ουάν γουέι στριτ]
Οδηγώ / οδηγός [odigo / odigos]	**Drive / driver** [ντράιβ / ντράιβερ]
Όπισθεν [opisthen]	**Reverse** [ριβέρς]
Παρμπρίζ [parbriz]	**Windscreen** [γουίννtσκριν]
Προφυλακτήρας [profilaktiras]	**Bumper** [μπάμ'περ]
Ρόδα [roda]	**Wheel** [γουίλ]

ΤΟ ΑΥΤΟΚΙΝΗΤΟ / ΤΟ ΑΜΑΞΙ [to aftokinito / to amaxi]	**THE CAR** [δε καρ]
Στροφή [strofi]	**Turn** [τερν]
Συμπλέκτης [siblektis]	**Clutch** [κλατσς]
Τιμόνι [timoni]	**Steering wheel** [στίριν γουίλ]
Τροχαία [trohea]	**Traffic police** [τράφικ πολίς]
Τροχονόμος [trohonomos]	**Traffic policeman** [τράφικ πολίσμαν]
Υαλοκαθαριστήρες [ialokatharistires]	**Windscreen wipers** [γουίννTσκριν γουάιπερς]
Φανάρι / σηματοδότης [fanari / simatodotis]	**Traffic light** [τράφικ λάιτ]
Φλας [flas]	**Winker / blinker** [γουίνκερ / μπλίνκερ]
Χειρόφρενο [hirofreno]	**Handbrake** [χάννTμπρέικ]
Χωματόδρομος [homatodromos]	**Dirt road** [ντερτ ρόουντ]
Αριθμός κυκλοφορίας. [arithmos kikloforias]	**Number plate.** [νάμμπερ πλέιτ]
Εθνική οδός. [ethniki odos]	**National road.** [νάσιοναλ ρόουντ]
Ζώνη ασφαλείας. [zoni asfalias]	**Seatbelt.** [σίτμπελτ]
Μοχλός ταχύτητας. [mohlos tahititas]	**Gear lever.** [γκίαρ λέβελ]

ΤΟ ΑΥΤΟΚΙΝΗΤΟ / ΤΟ ΑΜΑΞΙ [to aftokinito / to amaxi]	**THE CAR** [δε καρ]
Νούμερο αυτοκινήτου. [noumero aftokinitou]	**Car number.** [καρ νάμμπερ]
Μπορώ να δω την άδεια κυκλοφορίας και το δίπλωμά σας; [boro na do tin adia kikloforias ke to diploma sas]	**May I see your car licence and your driving licence?** [μέι άι σι γιόρ καρ λάισενς εννт γιόρ ντράβιν λάισενς]
Έχετε κάνει παράβαση και θα πρέπει να πληρώσετε πρόστιμο. [ehete kani paravassi ke tha prepi na plirossete prostimo]	**You have made a traffic offence and you should pay a fine.** [γιού χαβ μέιντ ε τράφικ οφένς εννт γιού σσουντ πέι ε φάιν]
Θα ήθελα να νοικιάσω ένα ... [tha ithela na nikiasso ena]	**I'd like to rent a ...** [άιντ λάικ του ρεν'τ ε]
- **μικρό αυτοκίνητο.** - [mikro aftokinito]	- **small car.** - [σμολ καρ]
- **μεγάλο αυτοκίνητο.** - [megalo aftokinito]	- **big car.** - [μπιγκ καρ]
- **αμάξι με κλιματισμό.** - [amaxi me klimatismo]	- **air-conditioned car.** - [ερ κοννтίσσννт καρ]
Τι χαρτιά χρειάζονται; [ti hartia hriazodde]	**What certificates do I need?** [γουότ σερτίφικιτς ντρύ άι νιντ]
Πρέπει να έχετε το δίπλωμα μαζί σας. [prepi na ehete to diploma mazi sas]	**You must have your driving licence with you.** [γιού μαστ χαβ γιόρ ντράιβιν λάισενς γουίδ γιού]

ΤΟ ΑΥΤΟΚΙΝΗΤΟ / ΤΟ ΑΜΑΞΙ [to aftokinito / to amaxi]	**THE CAR** [δε καρ]
Θα ήθελα να αγοράσω ένα αυτοκίνητο. [tha ithela na agorasso ena aftokinito]	**I'd like to buy a car.** [άιντ λάικ του μπάι ε καρ]
Ποιο μου συστήνετε; [pio mou sistinete]	**Which do you recommend?** [γουίτσς ντου γιού ρικομένντ]
Μπορώ να ανοίξω το παράθυρο; [boro na anixo to parathiro]	**May I open the window?** [μέι άι όπεν δε γουίνντοου]
Μπορώ να αφήσω το αυτοκίνητο εδώ; [boro na afisso to aftokinito edo]	**May I leave the car here?** [μέι άι λιβ δε καρ χίαρ]
Μπορώ να παρκάρω εδώ; [boro na parkaro edo]	**May I park the car here?** [μέι άι παρκ δε καρ χίαρ]
Το γκαράζ είναι ανοικτό όλη μέρα; [to ggaraz ine anikto oli mera]	**Is the garage open all day long?** [ιζ δε γκαράζ όπεν ολ ντέι λονγκ]
Το πάρκινγκ είναι ανοικτό όλη νύχτα; [to parkin ine anikto oli nihta]	**Is the parking place open all night?** [ιζ δε πάρκιν πλέις όπεν ολ νάιτ]
Τι μάρκα αυτοκίνητο έχεις; [ti marka aftokinito ehis]	**What make is your car?** [γουότ μέικ ιζ γιόρ καρ]
Μπορείτε να μου δείξετε το δρόμο για Πάτρα; [borite na mou dixete to dromo gia patra]	**Can you show me the way to Patras?** [καν γιού σσόου μι δε γουέι του πάτρας]

ΤΟ ΑΥΤΟΚΙΝΗΤΟ / ΤΟ ΑΜΑΞΙ [to aftokinito / to amaxi]	**THE CAR** [δε καρ]
Αυτός είναι ο πιο σύντομος δρόμος για Λάρισα; [aftos ine o pio siddomos dromos gia larissa]	**Is this the shortcut to Larissa?** [ιζ δις δε σσόρτκατ του λάρισα]
Είναι καλός δρόμος; [ine kalos dromos]	**Is the road good?** [ιζ δε ρόουντ γκουντ]
Έχει πολλές στροφές; [ehi poles strofes]	**Has it got many bends?** [χαζ ιτ γκοτ μένι μπεννντς]
Πόσα χιλιόμετρα είναι ως ...; [possa hiliometra ine os]	**How many kilometres is it to ...?** [χάου μένι κιλόμετρς ιζ ιτ του]
Μέσα στην πόλη το κορνάρισμα απαγορεύεται. [messa stin poli to kornarisma apagorevete]	**You mustn't use the horn in the city.** [γιού μασν'τ γιούζ δε χορν ιν δε σίτι]
Αύριο δίνω εξετάσεις για το δίπλωμα του αυτοκινήτου. [avrio dino exetassis gia to diploma tou aftokinitou]	**Tomorrow I take a driving test.** [τουμόροου άι τέικ ε ντράιβιν τεστ]
Έχω πολύ τρακ. [eho poli trak]	**I'm very nervous.** [άιμ βέρι νέρβους]

ΣΗΜΑΤΑ ΚΙΝΔΥΝΟΥ [simata kindinou]	**DANGER SIGNALS** [ντέιντζερ σίγκναλς]
Απαγορεύεται ... [apagorevete]	**No ...** [vo]
- **η διάβαση.** - [i diavassi]	- **crossing.** - [κρόσιν]
- **η προσπέραση.** - [i prosperassi]	- **overtaking.** - [όβερτεϊκιν]
- **η στάση.** - [i stassi]	- **stopping.** - [στόπιν]
- **το κάπνισμα.** - [to kapnisma]	- **smoking.** - [σμόουκιν]
- **η στάθμευση.** - [i stathmefsi]	- **parking.** - [πάρκιν]
- **το κορνάρισμα.** - [to kornarisma]	- **hooting.** - [χούτιν]
- **η είσοδος.** - [i issodos]	- **entrance.** - [έν'τρανς]
Απαγορεύεται να σκύβεις έξω από το παράθυρο. [apagorevete na skivis exo apo to parathiro]	**Bending out of the window is forbidden.** [μπένντιν άουτ οβ δε γουίνντοου ιζ φορμπίντεν]
Έξοδος οχημάτων. [exodos ohimaton]	**Car exit.** [καρ έγκζιτ]
Έξοδος κινδύνου. [exodos kindinou]	**Emergency exit.** [εμέρτζενσι έγκζιτ]
Μην πατάτε το γκαζόν. [min patate to ggazon]	**Don't step on the grass.** [ντον'τ στεπ ον δε γκρας]
Παράκαμψη [parakampsi]	**Deviation** [ντεβιέισσν]

ΣΗΜΑΤΑ ΚΙΝΔΥΝΟΥ [simata kindinou]	**DANGER SIGNALS** [ντέιντζερ σίγκναλς]
Ρεύμα υψηλής τάσης. [revma ipsilis tassis]	**High voltage.** [χάι βόλτατζ]
Οδικά έργα! [odika erga]	**Works on the road!** [γουέρκς ον δε ρόουντ]
Οδηγείτε αργά! [odigite arga]	**Drive slowly!** [ντράιβ σλόουλι]
Προσοχή! [prossohi]	**Caution!** [κοσσν]
Στοπ! [stop]	**Stop!** [στοπ]
Προσοχή! Τρένο! [prossohi. treno]	**Caution! Train!** [κοσσν. τρέιν]
Μέγιστο όριο ταχύτητας. [megisto orio tahititas]	**Maximum speed limit.** [μάξιμουμ σπιντ λίμιτ]
Διάβαση πεζών. [diavassi pezon]	**Zebra crossing.** [ζίμπρα κρόσιν]
Η περιοχή ελέγχεται με ραντάρ. [i periohi eleghete me raddar]	**The area is radar inspected.** [δι έρια ιζ ρέινταρ ινσπέκτεντ]
Επικίνδυνη στροφή ... [epikindini strofi]	**Dangerous bend ...** [ντέιντζερους μπεννт]
- **αριστερά.** - [aristera]	- **on the left.** - [ον δε λεφτ]
- **δεξιά.** - [dexia]	- **on the right.** - [ον δε ράιτ]

ΤΟ ΒΕΝΖΙΝΑΔΙΚΟ – ΤΟ ΣΥΝΕΡΓΕΙΟ [to venzinadiko – to sinergio]	**THE GAS-STATION – THE GARAGE** [δε γκας στέισσν – δε γκαράζ]
Αέρας [aeras]	**Air** [ερ]
Πετρέλαιο [petreleo]	**Oil** [όιλ]
Βενζίνη ... [venzini]	**Petrol ...** [πέτρολ]
- **σούπερ.** - [souper]	- **super.** - [σούπερ]
- **αμόλυβδη.** - [amolivdi]	- **unleaded.** - [ανλίντεντ]
Γρασάρισμα [grassarisma]	**Lubrication** [λαμπρικέισσν]
Νερό [nero]	**Water** [γουότερ]
Ψυγείο [psigio]	**Radiator** [ρεντιέιτορ]
Μπορείτε να μου πείτε πού υπάρχει ένα βενζινάδικο / συνεργείο; [borite na mou pite pou iparhi ena venzinadiko / sinergio]	**Can you tell me where there is a petrol station / garage near here?** [καν γιού τελ μι γουέρ δέαρ ιζ ε πέτρολ στέισσν / γκάραζ νίαρ χίαρ]
Γεμίστε το ρεζερβουάρ παρακαλώ. [gemiste to rezervouar parakalo]	**Fill the fuel tank please.** [φιλ δε φιούελ τανκ πλιζ]

ΤΟ ΒΕΝΖΙΝΑΔΙΚΟ – ΤΟ ΣΥΝΕΡΓΕΙΟ [to venzinadiko – to sinergio]	**THE GAS-STATION – THE GARAGE** [δε γκας στέισσν – δε γκαράζ]
Θα ήθελα να μου βάλετε πέντε χιλιάδες δραχμές βενζίνη σούπερ. [tha ithela na mou valete pedde hiliades drahmes venzini souper]	**I'd like five thousand drachmas' worth of super.** [άιντ λάικ φάιβ θάουζαν ντράκμας γουόρθ οβ σούπερ]
Μπορείτε να μου πλύνετε το αυτοκίνητο; [borite na mou plinete to aftokinito]	**Can you wash my car?** [καν γιού γουόσς μάι καρ]
Θα ήθελα να μου αλλάξετε λάδια και να μου βάλετε αέρα στα λάστιχα. [tha ithela na mou alaxete ladia ke na mou valete aera sta lastiha]	**I'd like the lubricants changed and the tyres pumped up.** [άιντ λάικ δε λάμπρικαν'τς τσσέιντζντ εννт δε τάιερς παμ'πντ απ]
Μπορείτε να ελέγξετε ... [borite na elenxete]	**Can you check ...** [καν γιού τσσεκ]
- **το λάδι;** - [to ladi]	- **the lubricant?** - [δε λάμπρικαν'τ]
- **τα μπουζί και τις πλατίνες;** - [ta bouzi ke tis platines]	- **the spark plugs and the contact points?** - [δε σπαρκ πλαγκς εννт δε κόν'τακτ πόιν'τς]
- **τα φρένα;** - [ta frena]	- **the brakes?** - [δε μπρέικς]
Το λάστιχο μου είναι τρυπημένο. [to lastiho mou ine tripimeno]	**I have a flat tyre.** [άι χαβ ε φλατ τάιερ]

ΤΟ ΒΕΝΖΙΝΑΔΙΚΟ – ΤΟ ΣΥΝΕΡΓΕΙΟ [to venzinadiko – to sinergio]	**THE GAS-STATION – THE GARAGE** [δε γκας στέισσν – δε γκαράζ]
Μπορείτε να μου αλλάξετε το λάστιχο; [borite na mou alaxete to lastiho]	**Can you change the tyre?** [καν γιού τσσέιντζ δε τάιερ]
Θα ήθελα να του κάνετε ένα σέρβις. [tha ithela na tou kanete ena servis]	**I'd like my car serviced.** [άιντ λάικ μάι καρ σέρβισντ]
Το αμάξι δεν ξεκινά. Μπορείτε να με βοηθήσετε; [to amaxi den xekina. borite na me voithissete]	**The car doesn't start. Can you help me?** [δε καρ νταζν'τ σταρτ. καν γιού χελπ μι]
Η θερμοκρασία του αυτοκινήτου ανεβαίνει πάρα πολύ. Μπορείτε να το κοιτάξετε; [i thermokrassia tou aftokinitou aneveni para poli. borite na to kitaxete]	**The car's temperature is up. Can you take a look?** [δε καρς τέμ'περατσουρ ιζ απ. καν γιού τέικ ε λουκ]
Τα φρένα του δεν πιάνουν πολύ καλά. [ta frena tou den pianoun poli kala]	**The brakes don't work well.** [δε μπρέικς ντον'τ γουέρκ γουέλ]
Δεν μπορώ να βάλω / αλλάξω ταχύτητα. [den boro na valo / alaxo tahitita]	**I can't change the gear.** [άι καν'τ τσέινντζ δε γκίαρ]
Η μπαταρία μου είναι πεσμένη. Μπορείτε να την φορτίσετε; [i bataria mou ine pesmeni. borite na tin fortissete]	**The battery is unloaded. Can you recharge it?** [δε μπάτερι ιζ ανλόουντεντ. καν γιού ριτσσάρτζ ιτ]

ΤΟ ΒΕΝΖΙΝΑΔΙΚΟ – ΤΟ ΣΥΝΕΡΓΕΙΟ [to venzinadiko – to sinergio]	**THE GAS-STATION – THE GARAGE** [δε γκας στέισσν – δε γκαράζ]
Το καλοριφέρ δε δουλεύει. [to kalorifer de doulevi]	**The heater doesn't work.** [δε χίτερ νταζν'τ γουέρκ]
Η μηχανή σβήνει συχνά. [i mihani svini sihna]	**The engine often switches off.** [δι έντζιν όφτεν σουίτσσιζ οφ]
Τα πίσω φώτα δεν ανάβουν. [ta pisso fota den anavoun]	**The rear lights don't work.** [δε ρίαρ λάιτς ντον'τ γουέρκ]
Πρέπει να αλλάξετε το φίλτρο αέρα και να βάλετε υγρό φρένων. [prepi na alaxete to filtro aera ke na valete igro frenon]	**You must change the air filter and renew the brake fluid.** [γιού μαστ τσσέιντζ δι ερ φίλτερ εννт ρινιού δε μπρέικ φλούιντ]
Μπορείτε να το φτιάξετε / επισκευάσετε; [borite na to ftiaxete / episkevassete]	**Can you repair / fix it?** [καν γιού ριπέρ / φιξ ιτ]
Σηκώστε το καπό παρακαλώ. [sikoste to kapo parakalo]	**Raise the bonnet please.** [ρέιζ δε μπόνετ πλιζ]
Πόσο θα κοστίσει η επιδιόρθωση; [posso tha kostissi i epidiorthossi]	**How much will the repair cost?** [χάου ματς γουίλ δε ριπέρ κοστ]
Πότε θα είναι έτοιμο; [pote tha ine etimo]	**When will it be ready?** [γουέν γουίλ ιτ μπι ρέντι]

ΤΑ ΜΕΤΑΦΟΡΙΚΑ ΜΕΣΑ (ΤΡΕΝΟ – ΛΕΩΦΟΡΕΙΟ – ΤΑΞΙ) [ta metaforika messa (treno – leoforio – taxi)]	**THE MEANS OF TRANSPORT (TRAIN – BUS – TAXI)** [δε μινζ οβ τράνσπορτ (τρέιν – μπας – τάξι)]
Μπορείτε να μου πείτε πού είναι ... [borite na mou pite pou ine]	**Can you tell me where ...** [καν γιού τελ μι γουέρ]
- **ο σταθμός των τρένων;** - [o stathmos ton trenon]	- **the train station is?** - [δε τρέιν στέισσν ιζ]
- **ο σιδηροδρομικός σταθμός;** - [o sidirodromikos stathmos]	- **the railway station is?** - [δε ρέιλγουεϊ στέισσν ιζ]
- **η στάση του λεωφορείου;** - [i stassi tou leoforiou]	- **the bus stop is?** - [δε μπασ στοπ ιζ]
- **η πιάτσα των ταξί;** - [i piatsa ton taxi]	- **the taxi-stand is?** - [δε τάξι σταννт ιζ]
Πώς μπορώ να πάω ...; [pos boro na pao]	**How can I go ...?** [χάου καν άι γκόου]
Δυστυχώς είναι μακριά από δω. Πρέπει να πάρετε ... [distihos ine makria apo do. prepi na parete]	**Unfortunately it's rather far away. You must take ...** [ανφόρτσουνατλι ιτς ράδερ φαρ εγουέι. γιού μαστ τέικ]
- **λεωφορείο.** - [leoforio]	- **the bus.** - [δε μπας]
- **ταξί.** - [taxi]	- **a taxi.** - [ε τάξι]
- **μετρό.** - [metro]	- **the tube.** - [δε τιούμπ]
- **τρόλεϊ.** - [trolei]	- **the trolley-bus.** - [δε τρόλεϊ μπας]

ΤΑ ΜΕΤΑΦΟΡΙΚΑ ΜΕΣΑ (ΤΡΕΝΟ – ΛΕΩΦΟΡΕΙΟ – ΤΑΞΙ) [ta metaforika messa (treno – leoforio – taxi)]	**THE MEANS OF TRANSPORT (TRAIN – BUS – TAXI)** [δε μινζ οβ τράνσπορτ (τρέιν – μπας – τάξι)]
Ποιο λεωφορείο πάει στον Πειραιά; [pio leoforio pai ston pirea]	**Which bus goes to Piraeus?** [γουίτς μπας γκόους του πάιρους]
Από πού φεύγει το λεωφορείο για την Κηφισιά; [apo pou fevgi to leoforio gia tin kifissia]	**Where does the bus to Kifissia start from?** [γουέαρ νταζ δε μπας το κιφισιά σταρτ φρομ]
Πού πηγαίνει αυτό το λεωφορείο; [pou pigeni afto to leoforio]	**Where does this bus go?** [γουέαρ νταζ δις μπας γκόου]
Πού πουλιούνται εισιτήρια; [pou poulioudde issitiria]	**Where are tickets sold?** [γουέαρ αρ τίκετς σολντ]
Εδώ είναι το τέρμα της γραμμής; [edo ine to terma tis gramis]	**Is this the end of the line?** [ιζ δις δι εννт οβ δε λάιν]
Προχωρήστε στο διάδρομο παρακαλώ. [prohoriste sto diadromo parakalo]	**Move forward in the corridor please.** [μουβ φόργουερντ ιν δε κόριντορ πλιζ]
Μην ομιλείτε στον οδηγό. [min omilite ston odigo]	**Don’t talk to the driver.** [ντον’τ τοκ του δε ντράιβερ]
Υπάρχει μποτιλιάρισμα στο κέντρο της πόλης. [iparhi botiliarisma sto keddro tis polis]	**There is a traffic jam in the centre of the city.** [δέαρ ιζ ε τράφικ τζαμ ιν δε σέν’τερ οβ δε σίτι]

ΤΑ ΜΕΤΑΦΟΡΙΚΑ ΜΕΣΑ (ΤΡΕΝΟ – ΛΕΩΦΟΡΕΙΟ – ΤΑΞΙ) [ta metaforika messa (treno – leoforio – taxi)]	**THE MEANS OF TRANSPORT (TRAIN – BUS – TAXI)** [δε μινζ οβ τράνσπορτ (τρέιν – μπας – τάξι)]
Θα ήθελα ένα απλό / μετ' επιστροφής εισιτήριο για την Πάτρα ... [tha ithela ena aplo / met epistrofis issitirio gia tin patra]	**I'd like a single / return ticket to Patras ...** [άιντ λάικ ε σινγκλ / ριτέρν τίκετ του πάτρας]
- **πρώτης θέσης.** - [protis thessis]	- **first-class.** - [φερστ κλας]
- **δεύτερης θέσης.** - [defteris thessis]	- **cabin class.** - [κάμπιν κλας]
- **στους καπνίζοντες.** - [stous kapnizoddes]	- **in the smoking compartment.** - [ιν δε σμόκιν κομ'πάρτμεν'τ]
Θέλω ένα εισιτήριο ... [thelo ena issitirio]	**I want a ticket ...** [άι γουόν'τ ε τίκετ]
- **με τρένο το πρωί.** - [me treno to proi]	- **by the morning train.** - [μπάι δε μόρνιν τρέιν]
- **με τρένο το βράδυ.** - [me treno to vradi]	- **by the night train.** - [μπάι δε νάιτ τρέιν]
- **με INTERCITY / ταχεία.** - [me interciti / tahia]	- **by the Intercity.** - [μπάι δι ιν'τερσίτι]
- **σε βαγκόν–λι / κουκέτα.** - [se vaggon li / kouketa]	- **in a sleeping-car / bunk-bed.** - [ιν ε σλίπιν καρ / μπανκ μπεντ]

ΤΑ ΜΕΤΑΦΟΡΙΚΑ ΜΕΣΑ (ΤΡΕΝΟ – ΛΕΩΦΟΡΕΙΟ – ΤΑΞΙ) [ta metaforika messa (treno – leoforio – taxi)]	**THE MEANS OF TRANSPORT (TRAIN – BUS – TAXI)** [δε μινζ οβ τράνσπορτ (τρέιν – μπας – τάξι)]
Το εισιτήριο της επιστροφής θέλω να έχει ανοιχτή ημερομηνία. [to issitirio tis epistrofis thelo na ehi anihti imerominia]	**I want an open-day return ticket.** [άι γουόν'τ εν όπεν ντέι ριτέρν τίκετ]
Τι ώρα αναχωρεί το τρένο; [ti ora anahori to treno]	**What time does the train leave?** [γουότ τάιμ νταζ δε τρέιν λιβ]
Τι ώρα φεύγει το επόμενο; [ti ora fevgi to epomeno]	**What time does the next leave?** [γουότ τάιμ νταζ δε νεξτ λιβ]
Μπορείτε να μου πείτε ποια είναι η θέση μου, και ποιο το βαγόνι; [borite na mou pite pia ine i thessi mou, ke pio to vagoni]	**Can you show me my seat and my carriage?** [καν γιού σσόου μι μάι σιτ εννт μάι κάριτζ]
Από ποια πλατφόρμα / αποβάθρα αναχωρεί το τρένο; [apo pia platforma / apovathra anahori to treno]	**Which platform does the train depart from?** [γουίτς πλάτφορμ νταζ δε τρέιν ντιπάρτ φρομ]
Η αμαξοστοιχία για Θεσσαλονίκη αναχωρεί σε δύο λεπτά από τη γραμμή τρία. [i amaxostihia gia thessaloniki anahori se dio lepta apo ti grami tria]	**The railway to Salonica departs in two minutes from line three.** [δε ρέιλγουέι του σαλόνικα ντιπάρτς ιν του μίνιτς φρομ λάιν θρι]

ΤΑ ΜΕΤΑΦΟΡΙΚΑ ΜΕΣΑ (ΤΡΕΝΟ – ΛΕΩΦΟΡΕΙΟ – ΤΑΞΙ) [ta metaforika messa (treno – leoforio – taxi)]	**THE MEANS OF TRANSPORT (TRAIN – BUS – TAXI)** [δε μινζ oβ τράνσπορτ (τρέιν – μπας – τάξι)]
Τι ώρα φτάνει το τρένο στην Πάτρα; [ti ora ftani to treno stin patra]	**What time does the train arrive in Patras?** [γουότ τάιμ νταζ δε τρέιν αράιβ ιν πάτρας]
Πότε έρχεται το τρένο από ...; [pote erhete to treno apo]	**When does the train come from ...?** [γουέν νταζ δε τρέιν καμ φρομ]
Πόσες ώρες διαρκεί το ταξίδι; [posses ores diarki to taxidi]	**How long does the journey take?** [χάου λονγκ νταζ δε τζέρνι τέικ]
Το τρένο από Πάτρα έχει δέκα λεπτά καθυστέρηση. [to treno apo patra ehi deka lepta kathisterissi]	**The train from Patras has a ten-minute delay.** [δε τρέιν φρομ πάτρας χαζ ε τεν μίνιτ ντιλέι]
Υπάρχει πάνω στο τρένο εστιατόριο; [iparhi pano sto treno estiatorio]	**Is there a wagon restaurant on the train?** [ιζ δέαρ ε γουέιγκον ρέστοραν'τ ον δε τρέιν]
Πρέπει να αλλάξω τρένο; [prepi na alaxo treno]	**Do I have to change a train?** [ντου άι χαβ του τσσέιντζ ε τρέιν]
Μπορείτε να μου πείτε πού θα βρω έναν αχθοφόρο για τις αποσκευές μου; [borite na mou pite pou tha vro enan ahthoforo gia tis aposkeves mou]	**Can you tell me where I can find a porter for my luggage?** [καν γιού τελ μι γουέαρ άι καν φάιννττ ε πόρτερ φορ μάι λάγκιτζ]

ΤΑ ΜΕΤΑΦΟΡΙΚΑ ΜΕΣΑ (ΤΡΕΝΟ – ΛΕΩΦΟΡΕΙΟ – ΤΑΞΙ) [ta metaforika messa (treno – leoforio – taxi)]	**THE MEANS OF TRANSPORT (TRAIN – BUS – TAXI)** [δε μινζ οβ τράνσπορτ (τρέιν – μπας – τάξι)]
Πού μπορώ να αφήσω τις αποσκευές μου για λίγες ώρες; [pou boro na afisso tis aposkeves mou gia liges ores]	**Where can I leave my luggage for a few hours?** [γουέαρ καν άι λιβ μάι λάγκιτζ φορ ε φιού άουαρς]
Πού βρίσκεται η αίθουσα αναμονής; [pou vriskete i ethoussa anamonis]	**Where is the waiting room?** [γουέαρ ιζ δε γουέιτιν ρουμ]
Αυτή η θέση είναι ... [afti i thessi ine]	**Is this seat ...** [ιζ δις σιτ]
- **ελεύθερη;** - [eleftheri]	- **free?** - [φρι]
- **πιασμένη;** - [piasmeni]	- **occupied?** - [οκιουπάιντ]
Συγγνώμη, αυτή η θέση είναι δική μου. [signomi, afti i thessi ine diki mou]	**Excuse me, but this is my seat.** [εξκιούζ μι, μπατ δις ιζ μάι σιτ]
Μπορώ να ανοίξω / κλείσω το παράθυρο; [boro na anixo / klisso to parathiro]	**May I open / close the window?** [μέι άι όπεν / κλόουζ δε γουίνντοου]
Μπορείτε να με βοηθήσετε με τις αποσκευές μου; [borite na me voithissete me tis aposkeves mou]	**Can you help me with my luggage?** [καν γιού χελπ μι γουίδ μάι λάγκιτζ]

ΤΑ ΜΕΤΑΦΟΡΙΚΑ ΜΕΣΑ (ΤΡΕΝΟ – ΛΕΩΦΟΡΕΙΟ – ΤΑΞΙ) [ta metaforika messa (treno – leoforio – taxi)]	**THE MEANS OF TRANSPORT (TRAIN – BUS – TAXI)** [δε μινζ οβ τράνσπορτ (τρέιν – μπας – τάξι)]
Έχουμε πολύ ακόμα μέχρι την Αθήνα; [ehoume poli akoma mehri tin athina]	**Is it far to Athens?** [ιζ ιτ φαρ του άθενς]
Ταξί! Είστε ελεύθερος; [taxi. iste eleftheros]	**Taxi! Are you for hire?** [τάξι. αρ γιού φορ χάιρ]
Μπορείτε να με πάτε ... [borite na me pate]	**Can you take me ...** [καν γιού τέικ μι]
- **στο κέντρο της πόλης;** - [sto keddro tis polis]	- **to the centre of the town / downtown?** - [του δε σέντερ οβ δε τάουν / ντάουν'τάουν]
- **στο αεροδρόμιο;** - [sto aerodromio]	- **to the airport?** - [του δι έαρποταρτ]
- **σ' αυτή τη διεύθυνση;** - [safti ti diefthinsi]	- **to this address?** - [του δις αντρές]
Μετά τις 12 το βράδυ πρέπει να πληρώσετε διπλή ταρίφα. [meta tis dodeka to vradi prepi na plirossete dipli tarifa]	**After 12 midnight you must pay double charge.** [άφτερ τουέλβ μιντνάιτ γιού μαστ πέι νταμπλ τσσαρτζ]
Εκτός πόλεως θα χρεωθείτε με διπλή ταρίφα. [ektos poleos tha hreothite me dipli tarifa]	**Out in the suburbs there is a double charge.** [άουτ ιν δε σάμπερμπς δέαρ ιζ ε νταμπλ τσσαρτζ]

ΤΑ ΜΕΤΑΦΟΡΙΚΑ ΜΕΣΑ (ΤΡΕΝΟ – ΛΕΩΦΟΡΕΙΟ – ΤΑΞΙ) [ta metaforika messa (treno – leoforio – taxi)]	**THE MEANS OF TRANSPORT (TRAIN – BUS – TAXI)** [δε μινζ οβ τράνσπορτ (τρέιν – μπας – τάξι)]
Για το αεροδρόμιο / λιμάνι πρέπει να πληρώσετε ένα έξτρα ποσό. [gia to aerodromio / limani prepi na plirossete ena extra posso]	**For the airport / port you must pay extra charge.** [φορ δι έαρπορτ / πορτ γιού μαστ πέι έξτρα τσσαρτζ]
Για την κάθε αποσκευή πρέπει να πληρώσετε ... δραχμές. [gia tin kathe aposkevi prepi na plirossete … drahmes]	**For every suitcase you must pay … drachmas.** [φορ έβρι σιούτκεϊζ γιού μαστ πέι … ντράκμας]
Μπορείτε να με αφήσετε εδώ; [borite na me afissete edo]	**Can you drop me here?** [καν γιού ντροπ μι χίαρ]
Σταματήστε όπου σας βολεύει. [stamatiste opou sas volevi]	**Stop anywhere convenient for you.** [στοπ ένιγουεαρ κονβίνιεν'τ φορ γιού]

ΣΤΟ ΛΙΜΑΝΙ – ΣΤΟ ΠΛΟΙΟ [sto limani – sto plio]	AT THE PORT – ON THE BOAT [ατ δε πορτ – ον δε μπόουτ]
Ποιο πλοίο / καράβι φεύγει για ...; [pio plio / karavi fevgi gia]	**Which ship / boat leaves for ...?** [γουίτς σσιπ / μπόουτ λιβς φορ]
Σε ποια λιμάνια σταματάει αυτό το πλοίο; [se pia limania stamatai afto to plio]	**Which ports does this ship touch?** [γουίτς πορτς νταζ δις σσιπ τατσσ]
Θα ήθελα ... [tha ithela]	**I'd like ...** [άιντ λάικ]
- **μια καμπίνα για ένα άτομο / δύο άτομα.** - [mia kabina gia ena atomo / dio atoma]	- **a one / two-person cabin.** - [ε ουάν / του πέρσον κάμπιν]
- **ένα εισιτήριο για κατάστρωμα.** - [ena issitirio gia katastroma]	- **a deck ticket.** - [ε ντεκ τίκετ]
- **ένα εισιτήριο πρώτης / τρίτης θέσης.** - [ena issitirio protis / tritis thessis]	- **a first / second class ticket.** - [ε φερστ / σέκοννт κλας τίκετ]
- **ένα εισιτήριο αυτοκινήτου.** - [ena issitirio aftokinitou]	- **a car ticket.** - [ε καρ τίκετ]
- **μια κουκέτα.** - [mia kouketa]	- **a bunk bed.** - [ε μπανκ μπεντ]
Ο καμαρότος μπορεί να μας πει πού βρίσκεται η καμπίνα νούμερο 102. [o kamarotos bori na mas pi pou vriskete i kabina noumero ekaton dio]	**The steward can tell us where cabin number 102 is.** [δε στιούαρτ καν τελ αζ γουέαρ κάμπιν νάμμπερ ε χάννтρεντ εννт του ιζ]

ΣΤΟ ΛΙΜΑΝΙ – ΣΤΟ ΠΛΟΙΟ [sto limani – sto plio]	**AT THE PORT – ON THE BOAT** [ατ δε πορτ – ον δε μπόουτ]
Πού είναι ... [pou ine]	**Where is ...?** [γουέαρ ιζ]
- **το σαλόνι;** - [to saloni]	- **the lounge?** - [δε λοντζ]
- **το μπαρ;** - [to bar]	- **the bar?** - [δε μπαρ]
- **το εστιατόριο;** - [to estiatorio]	- **the restaurant?** - [δε ρέστοραν'τ]
Πάνω σε μικρά πλοία αισθάνομαι ναυτία. [pano se mikra plia esthanome naftia]	**I feel sick aboard small ships.** [άι φιλ σικ αμπόρντ σμολ σσιπς]
Θα πρέπει να πάρω ένα χάπι για τη ναυτία. [tha prepi na paro ena hapi gia ti naftia]	**I'll have to take a nausea pill.** [άιλ χαβ του τέικ ε νόζια πιλ]
Η θάλασσα έχει κύμα. [i thalassa ehi kima]	**The sea is rough.** [δε σίι ιζ ραφ]
Τι ώρα φεύγει το καράβι για ...; [ti ora fevgi to karavi gia]	**What time does the ship for ... leave?** [γουότ τάιμ νταζ δε σσιπ φορ ... λιβ]
Τι ώρα φτάνει το καράβι; [ti ora ftani to karavi]	**What time does the ship arrive?** [γουότ τάιμ νταζ δε σσιπ αράιβ]
Πότε είναι το επόμενο καράβι για ...; [pote ine to epomeno karavi gia]	**When is the next ship to ...?** [γουέν ιζ δε νεξτ σσιπ του]

ΣΤΟ ΛΙΜΑΝΙ – ΣΤΟ ΠΛΟΙΟ [sto limani – sto plio]	**AT THE PORT – ON THE BOAT** [ατ δε πορτ – ον δε μπόουτ]
Η σκάλα και η άγκυρα ανέβηκαν. Το πλοίο φεύγει. [i skala ke i aggira anevikan. to plio fevgi]	**The gangway and the anchor have been pulled up. The ship is about to sail.** [δε γκάνγκγουεϊ εννт δι άνκορ χαβ μπιν πουλντ απ. δε σσιπ ιζ αμπάουτ του σέιλ]
Ο καπετάνιος και το πλήρωμά του σας καλωσορίζουν! [o kapetanios ke to pliroma tou sas kalossorizoun]	**The captain and the crew welcome you aboard!** [δε κάπτεν εννт δε κρου γουέλκομ γιού αμπόρντ]
Πάμε στο κατάστρωμα. Θέλω να πάρω λίγο καθαρό αέρα. [pame sto katastroma. thelo na paro ligo katharo aera]	**Let's go up the deck. I need some fresh air.** [λετς γκόου απ δε ντέκ. άι νιντ σαμ φρεσς ερ]

ΣΤΟ ΑΕΡΟΔΡΟΜΙΟ – ΣΤΟ ΑΕΡΟΠΛΑΝΟ [sto aerodromio – sto aeroplano]	**AT THE AIRPORT – ON THE AEROPLANE** [ατ δι έρπορτ – ον δι έρπλεϊν]
Πού είναι το γραφείο πληροφοριών; [pou ine to grafio pliroforion]	**Where is the information desk?** [γουέαρ ιζ δι ινφορμέισσν ντεσκ]
Θα ήθελα να κρατήσω μια θέση στην πτήση για Κάιρο. [tha ithela na kratisso mia thessi stin ptissi gia kairo]	**I'd like to make a reservation on the flight to Kairo.** [άιντ λάικ του μέικ ε ρεζερβέισσν ον δε φλάιτ του κάιρο]
Τι πτήσεις υπάρχουν την Παρασκευή για Κάιρο; [ti ptissis iparhoun tin paraskevi gia kairo]	**What flights are there to Kairo on Friday?** [γουότ φλάιτς αρ δέαρ του κάιρο ον φράιντεϊ]
Με ποιες εταιρείες; [me pies eteries]	**What are the airlines?** [γουότ αρ δι έρλαϊνς]
Θα ήθελα ένα απλό / μετ' επιστροφής εισιτήριο για Ρώμη ... [tha ithela ena aplo / met epistrofis issitirio gia romi]	**I'd like a single / return ticket to Rome ...** [άιντ λάικ ε σίνγκλ / ριτέρν τίκετ του ρόουμ]
- **στην οικονομική θέση.** - [stin ikonomiki thessi]	- **in the economy class.** - [ιν δι εκόνομι κλας]
- **στην πρώτη θέση.** - [stin proti thessi]	- **in the first class.** - [ιν δε φερστ κλας]
Τι αποσκευές έχετε; [ti aposkeves ehete]	**What luggage have you got?** [γουότ λάγκατζ χαβ γιού γκοτ]

ΣΤΟ ΑΕΡΟΔΡΟΜΙΟ – ΣΤΟ ΑΕΡΟΠΛΑΝΟ [sto aerodromio – sto aeroplano]	**AT THE AIRPORT – ON THE AEROPLANE** [ατ δι έρπορτ – ον δι έρπλεϊν]
Έχετε επιπρόσθετο βάρος και θα πρέπει να πληρώσετε ... δραχμές για τις αποσκευές σας. [ehete epiprostheto varos ke tha prepi na plirossete ... drahmes gia tis aposkeves sas]	**You have overweight and you'll have to pay ... drachmas for your luggage.** [γιού χαβ όβεργουεϊτ εννι γιούλ χαβ του πέι ... ντράκμας φορ γιόρ λάγκιτζζ]
Τι ώρα φτάνει το αεροπλάνο στο Λονδίνο; [ti ora ftani to aeroplano sto londino]	**What time does the plane land in London?** [γουότ τάιμ νταζ δε πλέιν λαννι ιν λάννιον]
Πότε φεύγει το αεροπλάνο από Μπρίστολ; [pote fevgi to aeroplano apo bristol]	**When does the plane leave Bristol?** [γουέν νταζ δε πλέιν λιβ μπρίστολ]
Πρέπει να περάσετε από έλεγχο διαβατηρίων. [prepi na perassete apo elenho diavatirion]	**You must go through passport control.** [γιού μαστ γκόου θρου πάσπορτ κόν'τρολ]
Ανακοίνωση! Το μπόινγκ 747 για Λονδίνο αναχωρεί σε δέκα λεπτά. Η επιβίβαση θα γίνει από την έξοδο νούμερο 4. [anakinossi. to boingg epta saradda epta gia londino anahori se deka lepta. i epivivassi tha gini apo tin exodo noumero tessera]	**Attention please! Boeing 747 to London is due to depart in ten minutes. Boarding gate 4.** [ατένσσν πλιζ. μπόινγκ σέβεν φορ σέβεν του λάννιον ιζ ντιού του ντιπάρτ ιν τεν μίνιτς. μπόαρντιν γκέιτ φορ]

ΣΤΟ ΑΕΡΟΔΡΟΜΙΟ – ΣΤΟ ΑΕΡΟΠΛΑΝΟ [sto aerodromio – sto aeroplano]	**AT THE AIRPORT – ON THE AEROPLANE** [ατ δι έρπορτ – ον δι έρπλεϊν]
Θα υπάρξει καθυστέρηση είκοσι λεπτών λόγω ομίχλης. [tha iparxi kathisterissi ikossi lepton logo omihlis]	**There will be a twenty minutes' delay due to fog.** [δέαρ γουίλ μπι ε τουέν'τι μίνιτς ντιλέι ντιού του φογκ]
Ο πιλότος / κυβερνήτης και το πλήρωμα σας καλωσορίζουν! [o pilotos / kivernitis ke to pliroma sas kalossorizoun]	**The pilot / captain and the crew welcome you aboard!** [δε πάιλοτ / κάπτεν εννт δε κρου γουέλκαμ γιού αμπόαρντ]
Το αεροπλάνο πετάει σε ύψος 10.000 ποδών. [to aeroplano petai se ipsos deka hiliadon podon]	**The plane flies on the 10.000 feet.** [δε πλέιν φλάιζ ον δε τεν θάουζαν φιτ]
Φωνάξτε παρακαλώ την αεροσυνοδό! [fonaxte parakalo tin aerossinodo]	**Call the air-hostess please!** [κολ δι ερ χόστες πλιζ]
Μπορείτε να μου φέρετε μια χαρτοσακούλα; Τα πολλά κενά αέρος με πείραξαν. [borite na mou ferete mia hartossakoula. ta pola kena aeros me piraxan]	**Can you give me a paper-bag? The air-pockets (turbulence) have (has) made me sick.** [καν γιού γκιβ μι ε πέιπερ μπαγκ. δι ερ πόκετς (τούρμπιουλενς) χαβ (χαζ) μέιντ μι σικ]

ΣΤΟ ΑΕΡΟΔΡΟΜΙΟ – ΣΤΟ ΑΕΡΟΠΛΑΝΟ [sto aerodromio – sto aeroplano]	**AT THE AIRPORT – ON THE AEROPLANE** [ατ δι έρποριτ – ον δι έρπλεϊν]
Η απογείωση / προσγείωση του αεροπλάνου θα γίνει εντός ολίγων λεπτών. [i apogiossi / prosgiossi tou aeroplanou tha gini eddos oligon lepton]	**The take-off / landing of the plane is due in a few minutes.** [δε τέικ οφ / λάνντιν οβ δε πλέιν ιζ ντιού ιν ε φιού μίνιτς]
Παρακαλώ, δέστε τις ζώνες σας. [parakalo deste tis zones sas]	**Fasten your seatbelts, please.** [φάσεν γιόρ σίτμπελτς πλιζ]
Απαγορεύεται το κάπνισμα. [apagorevete to kapnisma]	**No smoking.** [νόου σμόκιν]

ΣΤΗ ΘΑΛΑΣΣΑ – ΣΤΟ ΒΟΥΝΟ [sti thalassa – sto vouno]	**AT THE SEASIDE – ON THE MOUNTAIN** [ατ δε σίσαϊντ – ον δε μάουν'τεν]
Φέτος θα πάμε διακοπές στη θάλασσα / στο βουνό. [fetos tha pame diakopes sti thalassa / sto vouno]	**This year we'll go to the seaside / mountain for holiday.** [δις γίαρ γουίλ γκόου το δε σίσαϊντ / μάουν'τεν φορ χόλιντεϊ]
Η ακρογιαλιά έχει άμμο / βότσαλα. [i akrogialia ehi amo / votsala]	**It's a sandy / pebbly seaside.** [ιτς ε σάνντι / πέμπλι σίσαϊντ]
Μου αρέσει να κάνω βουτιές στη θάλασσα. [mou aressi na kano vouties sti thalassa]	**I like diving in the sea.** [άι λάικ ντάιβιν ιν δε σι]
Η θάλασσα είναι πολύ... [i thalassa ine poli]	**The sea is very …** [δε σι ιζ βέρι]
- **ζεστή.** - [zesti]	- **warm.** - [γουόρμ]
- **κρύα.** - [kria]	- **cold.** - [κολντ]
- **ρηχή.** - [rihi]	- **shallow.** - [σσάλλοου]
- **βαθιά.** - [vathia]	- **deep.** - [ντιπ]
Ο ήλιος είναι πολύ δυνατός. [o ilios ine poli dinatos]	**The sun is very hot.** [δε σαν ιζ βέρι χοτ]
Υπάρχει κίνδυνος να πάθουμε ηλίαση. [iparhi kindinos na pathoume iliassi]	**We're in danger of having a sunstroke.** [γουίρ ιν ντέιντζερ οβ χάβιν ε σάνστροουκ]

ΣΤΗ ΘΑΛΑΣΣΑ – ΣΤΟ ΒΟΥΝΟ [sti thalassa – sto vouno]	**AT THE SEASIDE – ON THE MOUNTAIN** [ατ δε σίσαϊντ – ον δε μάουν'τεν]
Κάηκα στον ήλιο και τώρα ξεφλουδίζω. [kaika ston ilio ke tora xefloudizo]	**I was burnt under the sun and now my skin is peeling off.** [άι γουάζ μπερν'τ άνντερ δε σαν εννт νάου μάι σκιν ιζ πίλιν οφ]
Έχω αποκτήσει ένα υπέροχο μαύρισμα. [eho apoktissi ena iperoho mavrisma]	**I've got a perfect tanning.** [άιβ γκοτ ε πέρφεκτ τάνιν]
Το ηλιοβασίλεμα από αυτή την ακτή είναι καταπληκτικό. [to iliovassilema apo afti tin akti ine katapliktiko]	**The sunset is amazing in this beach.** [δε σάνσετ ιζ αμέιζιν ιν δις μπιτσς]
Στη θάλασσα μου αρέσει να κάνω ... [sti thalassa mou aressi na kano]	**When I'm at the seaside I like ...** [γουέν άιμ ατ δε σίσαϊντ άι λάικ]
- **μπάνιο.** - [banio]	- **swimming.** - [σουίμιν]
- **ηλιοθεραπεία.** - [iliotherapia]	- **sunbathing.** - [σάνμπέιδιν]
Πού μπορούμε να νοικιάσουμε ... [pou boroume na nikiassoume]	**Where can we hire ...** [γουέαρ καν γουί χάιρ]
- **μια ομπρέλα;** - [mia obrela]	- **an umbrella?** - [εν αμπρέλα]
- **μια βάρκα;** - [mia varka]	- **a boat?** - [ε μπόουτ]

ΣΤΗ ΘΑΛΑΣΣΑ – ΣΤΟ ΒΟΥΝΟ [sti thalassa – sto vouno]	**AT THE SEASIDE – ON THE MOUNTAIN** [ατ δε σίσαϊντ – ον δε μάουν'τεν]
Τα παιδιά πρέπει να φοράνε σωσίβιο. [ta pedia prepi na forane sossivio]	**Children should wear a life-jacket.** [τσσίλντρεν σσουντ γουέαρ ε λάιφ τζάκετ]
Βοήθεια! Πνίγομαι! [voithia. pnigome]	**Help! I'm drowning!** [χελπ. άιμ ντράουνιν]
Κατάπια αλμυρό νερό. [katapia almiro nero]	**I drank salt water.** [άι ντρανκ σολτ γουότερ]
Αυτή η παραλία είναι ακατάλληλη για μπάνιο. [afti i paralia ine akatalili gia banio]	**This beach is unsuitable for swimming.** [δις μπιτσς ιζ άνσουταμπλ φορ σουίμιν]
Αυτή η παραλία δε μου αρέσει επειδή ... [afti i paralia de mou aressi epidi]	**I don't like this beach because ...** [άι ντον'τ λάικ δις μπιτσς μπικόζ]
- **έχει πολύ βαθιά νερά.** - [ehi poli vathia nera]	- **the sea is very deep.** - [δε σι ιζ βέρι ντιπ]
- **έχει πολλά φύκια.** - [ehi pola fikia]	- **there is too much seaweed.** - [δέαρ ιζ του ματσς σίγουιντ]
- **έχει απότομα βράχια.** - [ehi apotoma vrahia]	- **the rocks are very steep.** - [δε ροκς αρ βέρι στιπ]
Ο αέρας του βουνού είναι πολύ δροσερός. [o aeras tou vounou ine poli drosseros]	**The air of the mountain is very refreshing.** [δι ερ οβ δε μάουν'τεν ιζ βέρι ριφρέσσιν]

ΣΤΗ ΘΑΛΑΣΣΑ – ΣΤΟ ΒΟΥΝΟ [sti thalassa – sto vouno]	**AT THE SEASIDE – ON THE MOUNTAIN** [ατ δε σίσαϊντ – ον δε μάουν'τεν]
Το εξοχικό μας έχει κτήμα με αμπέλια και ελιές. [to exohiko mas ehi ktima me abelia ke elies]	**In our country-house we've got a vineyard and some olive trees.** [ιν άουρ κάν'τρι χάους γουίβ γκοτ ε βάινγιαρντ εννT σαμ όλιβ τριζ]
Το σπίτι είναι κοντά στο δάσος και μερικές φορές έχουμε δει αλεπούδες και ελάφια. [to spiti ine kodda sto dassos ke merikes fores ehoume di alepoudes ke elafia]	**The house is near the woods and sometimes we've seen foxes and deer.** [δε χάους ιζ νίαρ δε γουντς εννT σάμταϊμς γουίβ σιν φόξιζ εννT ντιρ]
Στον κήπο έχουμε διάφορα οπωροφόρα δένδρα όπως ... [ston kipo ehoume diafora oporofora dendra opos]	**In the garden we've several fruit-bearing trees, like ...** [ιν δε γκάρντεν γουίβ σέβεραλ φρουτ μπίαριν τριζ, λάικ]
- **κερασιές.** - [kerassies]	- **cherry trees.** - [τσσέρι τριζ]
- **μηλιές.** - [milies]	- **apple trees.** - [απλ τριζ]
- **αχλαδιές.** - [ahladies]	- **pear trees.** - [πίαρ τριζ]
- **πορτοκαλιές.** - [portokalies]	- **orange trees.** - [όραντζ τριζ]
Εκεί φυτεύουμε τριαντάφυλλα. [eki fitevoume triaddafila]	**We plant roses there.** [γουί πλαν'τ ρόουζεζ δέαρ]

ΣΤΟ ΞΕΝΟΔΟΧΕΙΟ [sto xenodohio]	**AT THE HOTEL** [ατ δε χοτέλ]
Έχετε ελεύθερα δωμάτια; [ehete elefthera domatia]	**Have you got spare rooms?** [χαβ γιού γκοτ σπέαρ ρουμς]
Θα ήθελα ένα ... [tha ithela ena]	**I'd like a ...** [άιντ λάικ ε]
- **μονόκλινο.** - [monoklino]	- **single-bed room.** - [σίνγκλ μπεντ ρουμ
- **δίκλινο.** - [diklino]	- **double-bed room.** - [νταμπλ μπεντ ρουμ]
- **τρίκλινο.** - [triklino]	- **three-bed room.** - [θρι μπεντ ρουμ]
- **δωμάτιο με μπάνιο.** - [domatio me banio]	- **room and a bathroom.** - [ρουμ εννт ε μπάθρουμ]
- **δωμάτιο με πρωινό.** - [domatio me proino]	- **bed and breakfast.** - [μπεντ εννт μπρέκφαστ]
- **δωμάτιο με ημιδιατροφή.** - [domatio me imidiatrofi]	- **half-board room.** - [χαφ μπόαρντ ρουμ]
- **ήσυχο δωμάτιο.** - [issiho domatio]	- **quiet room.** - [κουάιετ ρουμ]
- **δωμάτιο στο κέντρο της πόλης.** - [domatio sto keddro tis polis]	- **room in a downtown hotel.** - [ρουμ ιν ε ντάουν'ταουν χοτέλ]
- **δωμάτιο με μπαλκόνι.** - [domatio me balkoni]	- **room with a balcony.** - [ρουμ γουίδ ε μπάλκονι]
- **δωμάτιο με θέα.** - [domatio me thea]	- **room with a view.** - [ρουμ γουίδ ε βιού]
Πόσο καιρό θα μείνετε; [posso kero tha minete]	**How long will you stay?** [χάου λονγκ γουίλ γιού στέι]
Θα μείνω δύο μέρες. [tha mino dio meres]	**I'll stay for two days.** [άιλ στέι φορ του ντέιζ]

ΣΤΟ ΞΕΝΟΔΟΧΕΙΟ [sto xenodohio]	**AT THE HOTEL** [ατ δε χοτέλ]
Θα ήθελα ένα δωμάτιο σε ... [tha ithela ena domatio se]	**I'd like a room in a ...** [άιντ λάικ ε ρουμ ιν ε]
- **ξενοδοχείο Α΄ / Β΄ / Γ΄ κατηγορίας.** - [xenodohio alfa / vita / gama katigorias]	- **first / second / third class hotel.** - [φέρστ / σέκοννт / θέρντ κλας χοτέλ]
- **ξενοδοχείο με πισίνα.** - [xenodohio me pissina]	- **hotel with a swimming pool.** - [χοτέλ γουίδ ε σουίμιν πουλ]
Τι περιλαμβάνεται στην τιμή του δωματίου; [ti perilamvanete stin timi tou domatiou]	**What is included in the room price?** [γουότ ιζ ινκλούντεντιν ιν δε ρουμ πράις]
Πρέπει να δώσετε / στείλετε μια προκαταβολή, για να σας κάνουμε την κράτηση. [prepi na dossete / stilete mia prokatavoli, gia na sas kanoume tin kratissi]	**You must give / send a payment in advance, in order to make the reservation.** [γιού μαστ γκιβ / σεννт ε πέιμεν'τ ιν αντβάνς, ιν όρντερ του μέικ δε ρεζερβέισσν]
Πού και πώς να στείλω την προκαταβολή; [pou ke poś na stilo tin prokatavoli]	**Where and how shall I send the deposit?** [γουέαρ εννт χάου σσαλ άι σέννт δε ντιπόζιτ]
Θα κάνετε μια κατάθεση στην Τράπεζα ... και στο νούμερο ... [tha kanete mia katathessi stin trapeza ... ke sto noumero]	**You'll make a deposit in ... Bank, account number ...** [γιούλ μέικ ε ντιπόζιτ ιν ... μπανκ, ακάουν'τ νάμμπερ]

ΣΤΟ ΞΕΝΟΔΟΧΕΙΟ [sto xenodohio]	**AT THE HOTEL** [ατ δε χοτέλ]
Έχουμε κλείσει δωμάτιο στο όνομα ... [ehoume klissi domatio sto onoma]	**We've booked a room under the name ...** [γουίβ μπουκντ ε ρουμ άνντερ δε νέιμ]
Περιμένετε μισό λεπτό να κοιτάξω τις κρατήσεις. [perimenete misso lepto na kitaxo tis kratissis]	**Hold on a minute, I'll look at the reservations.** [χόλντ ον ε μίνιτ, άιλ λουκ ατ δε ρεζερβέισσνς]
Το δωμάτιο σας είναι το νούμερο 304. [to domatio sas ine to noumero triakossia tessera]	**Your room is number 304.** [γιόρ ρουμ ιζ νάμμπερ θρι χάντρεντ φορ]
Ορίστε το κλειδί. [oriste to klidi]	**Here's the key.** [χίαρζ δε κι]
Μπορείτε να πάρετε το ασανσέρ. [borite na parete to assanser]	**You may take the elevator.** [γιού μέι τέικ δι ελεβέιτορ]
Λυπάμαι. Δεν έχουμε ελεύθερο δωμάτιο. [lipame. den ehoume elefthero domatio]	**I'm sorry. There's no spare room.** [άιμ σόρι. δέαρζ νο σπέαρ ρουμ]
Μπορώ να δω το δωμάτιο; [boro na do to domatio]	**May I see the room?** [μέι άι σι δε ρουμ]
Εντάξει. Θα το κρατήσω. [eddaxi. tha to kratisso]	**O.K. I'll take it.** [όου κέι. άιλ τέικ ιτ]
Μπορώ να έχω το διαβατήριο / την ταυτότητά σας; [boro na eho to diavatirio / tin taftotita sas]	**May I have your passport / identity card?** [μέι άι χαβ γιόρ πάσπορτ / αϊντέν'τιτι καρντ]

ΣΤΟ ΞΕΝΟΔΟΧΕΙΟ [sto xenodohio]	**AT THE HOTEL** [ατ δε χοτέλ]
Πρέπει να συμπληρώσετε αυτό το έντυπο. [prepi na siblirossete afto to eddipo]	**You must fill in this form.** [γιού μαστ φιλ ιν δις φορμ]
Υπογράψτε εδώ παρακαλώ. [ipograpste edo parakalo]	**Sign here please.** [σάιν χίαρ πλιζ]
Στο δωμάτιο θα βρείτε ... [sto domatio tha vrite]	**In the room you'll find ...** [ιν δε ρουμ γιούλ φάιννт]
- **κουβέρτες.** - [kouvertes]	- **blankets.** - [μπλάνκετς]
- **σαπούνι.** - [sapouni]	- **bars of soap.** - [μπαρς οβ σόουπ]
Τι ώρα σερβίρεται το πρωινό; [ti ora servirete to proino]	**What time is breakfast served?** [γουότ τάιμ ιζ μπρέκφαστ σερβντ]
Το πρωινό σερβίρεται από τις 7 ως τις 10 το πρωί. [to proino servirete apo tis epta os tis deka to proi]	**Breakfast is served from 7 to 10 a.m.** [μπρέκφαστ ιζ σέρβντ φρομ σέβεν του τεν έι εμ]
Θα ήθελα να με ξυπνήσετε στις ... [tha ithela na me xipnissete stis]	**I'd like you to wake me up at ...** [άιντ λάικ γιού του γουέικ μι απ ατ]
Είχα κάποιο μήνυμα όσο έλειπα; [iha kapio minima osso elipa]	**Were there any messages while I was out?** [γουέρ δέαρ ένι μέσατζες γουάιλ άι γουόζ άουτ]
Θα ήθελα να μου ετοιμάσετε το λογαριασμό, παρακαλώ. [tha ithela na mou etimassete to logariasmo, parakalo]	**I'd like the bill, please.** [άιντ λάικ δε μπιλ πλιζ]

ΣΤΟ ΞΕΝΟΔΟΧΕΙΟ [sto xenodohio]	**AT THE HOTEL** [ατ δε χοτέλ]
Πώς μπορώ / πρέπει να πληρώσω; [pos boro / prepi na plirosso]	**How can / should I pay?** [χάου καν / σσουντ άι πέι]
Μπορείτε να πληρώσετε ... [borite na plirossete]	**You may pay ...** [γιού μέι πέι]
- **τοις μετρητοίς.** - [tis metritis]	- **cash.** - [κασς]
- **με κάρτα.** - [me karta]	- **with credit card.** - [γουίδ κρέντιτ καρντ]
- **με επιταγή ενός μήνα.** - [me epitagi enos mina]	- **by postdated cheque.** - [μπάι ποστντέιτεντ τσσεκ]
Ορίστε η απόδειξη. [oriste i apodixi]	**Here's the receipt.** [χίαρς δε ρισίτ]
Το δωμάτιο πρέπει να το παραδώσετε ως τις 12 το μεσημέρι. [to domatio prepi na to paradossete os tis dodeka to messimeri]	**You must leave the room by 12 noon.** [γιού μαστ λιβ δε ρουμ μπάι τουέλβ νουν]
Έχω να κάνω μερικά παράπονα ... [eho na kano merika parapona]	**I have several complaints to make ...** [άι χαβ σέβεραλ κομπλέιν'τς του μέικ]
- **δεν έχει φως στο μπάνιο.** - [den ehi fos sto banio]	- **there's no light in the bathroom.** - [δέαρζ νο λάιτ ιν δε μπάθρουμ]
- **δεν έχουμε πετσέτες.** - [den ehoume petsetes]	- **we haven't got any towels.** - [γουί χάβεν'τ γκοτ ένι τάουελς]

ΤΟ ΑΝΘΡΩΠΙΝΟ ΣΩΜΑ [to anthropino soma]	**THE HUMAN BODY** [δε χιούμαν μπόντι]
Αγκώνας / Αίμα [aggonas / ema]	**Elbow / Blood** [έλμποου / μπλαντ]
Αμυγδαλές [amigdales]	**Tonsils** [τόνσιλς]
Αστράγαλος [astragalos]	**Ankle** [ανκλ]
Αυτί / αφτί [afti]	**Ear** [ίαρ]
Γάμπα / Γλώσσα [gaba / glossa]	**Leg (calf) / Tongue** [λεγκ (καλφ) / τανγκ]
Γεννητικά όργανα. [genitika organa]	**Genitals** [τζένιταλς]
Γόνατο / Μηρός [gonato / miros]	**Knee / Thigh** [νι / δάι]
Δάχτυλο χεριού / ποδιού. [dahtilo heriou / podiou]	**Finger / Toe** [φίνγκερ / τόου]
Καρδιά / Καρπός [kardia / karpos]	**Heart / Wrist** [χαρτ / ριστ]
Κεφάλι / Μαλλιά [kefali / malia]	**Head / Hair** [χεντ / χέαρ]
Κοιλιά / Στομάχι [kilia / stomahi]	**Belly / Stomach** [μπέλι / στόμακ]
Κόλπος / Κόκαλο [kolpos / kokalo]	**Vagina / Bone** [βάτζινα / μπόουν]
Λαιμός / Λάρυγγας [lemos / lariggas]	**Neck / Throat** [νεκ / θρόουτ]
Μάγουλο / Μάτι [magoulo / mati]	**Cheek / Eye** [τσσικ / άι]
Μυαλό / Μέση [mialo / messi]	**Brain / Waist** [μπρέιν / γουέιστ]

ΤΟ ΑΝΘΡΩΠΙΝΟ ΣΩΜΑ [to anthropino soma]	**THE HUMAN BODY** [δε χιούμαν μπόντι]
Μέτωπο / Μύτη [metopo / miti]	**Front / Nose** [φρον'τ / νόουζ]
Μήτρα / Ωοθήκη [mitra / oothiki]	**Uterus / Ovary** [γιούτερας / όουβαρι]
Μυς / Νύχι [mis / nihi]	**Muscle / Nail** [μασκλ / νέιλ]
Νεύρο / Νεφρό [nevro / nefro]	**Nerve / Kidney** [νερβ / κίντνι]
Παλάμη / Χέρι [palami / heri]	**Palm / Hand (arm)** [παλμ / χαννт (αρμ)]
Πατούσα / Πόδι [patoussa / podi]	**Foot / Leg** [φουτ / λεγκ]
Πηγούνι / Σαγόνι [pigouni / sagoni]	**Chin** [τσσιν]
Πλάτη / Πλευρό [plati / plevro]	**Back / Rib** [μπακ / ριμπ]
Πνεύμονας [pnevmonas]	**Lung** [λανγκ]
Πρόσωπο / Χείλι [prossopo / hili]	**Face / Lip** [φέις / λιπ]
Σβέρκος / Στόμα [sverkos / stoma]	**Neck / Mouth** [νεκ / μάουθ]
Σιαγόνα [siagona]	**Jaw** [τζο]
Σπονδυλική στήλη. [spondiliki stili]	**Spine** [σπάιν]
Στήθος / Συκώτι [stithos / sikoti]	**Chest / Liver** [τσσεστ / λίβερ]
Φτέρνα / Φρύδι [fterna / fridi]	**Heel / Eyebrow** [χιλ / άιμπροου]
Ώμος / Φλέβα [omos / fleva]	**Shoulder / Vein** [σσόλντερ / βέιν]

Η ΥΓΕΙΑ – ΟΙ ΑΣΘΕΝΕΙΕΣ [i igia – i asthenies]	HEALTH – ILLNESSES [χελθ - ίλνεσιζ]
Αδιαθεσία [adiathessia]	**Sickness** [σίκνες]
Αιματοκρίτης [ematokritis]	**Haematocrit** [χεμάτοκριτ]
Αιμορραγία [emoragia]	**Haemorrage (bleeding)** [χέμορατζ (μπλίντιν)]
Αλλεργία / Αναιμία [alergia / anemia]	**Allergy / Anaemia** [άλερτζι / ανέμια]
Αλλήθωρος [alithoros]	**Cross-eyed** [κρόσαϊντ]
Αμυγδαλίτιδα [amigdalitida]	**Tonsilitis** [τονσίλιτις]
Ανεμοβλογιά [anemovlogia]	**Chisken-pox** [τσσίσκεν ποξ]
Αποβολή [apovoli]	**Miscarriage** [μισκάριτζ]
Αποπληξία [apoplixia]	**Apoplexy** [απόπλεξι]
Άσθμα / Αϋπνία [asthma / aipnia]	**Asthma / Insomnia** [άζμα / ινσόουμνια]
Αφροδίσιο νόσημα. [afrodissio nossima]	**Venereal disease.** [βινίριαλ ντιζίζ]
Βήχας / Βιασμός [vihas / viasmos]	**Cough / Rape** [κοφ / ρέιπ]
Βλεννόρροια [vlenoria]	**Gonorrhea** [γκονόρια]
Βραχνάδα [vrahnada]	**Hoarseness** [χόαρσνες]

Η ΥΓΕΙΑ – ΟΙ ΑΣΘΕΝΕΙΕΣ [i igia – i asthenies]	**HEALTH – ILLNESSES** [χελθ - ίλνεσιζ]
Βρογχίτιδα / Γρίπη [vronhitida / gripi]	**Bronchitis / Flu** [μπρονκίτις / φλου]
Δηλητηρίαση [dilitiriassi]	**Poisoning** [πόισονιν]
Διαβήτης [diavitis]	**Diabetes** [ντάιαμπετ]
Διάρροια [diaria]	**Diarrhoea (runs)** [νταϊάρια (ρανς)]
Δυσκοιλιότητα [diskiliotita]	**Constipation** [κονστιπέισσν]
Δύσπνοια [dispnia]	**Dyspnoea** [ντισπνόια]
Έγκαυμα [eggavma]	**Burn** [μπερν]
Εγκυμοσύνη [eggimossini]	**Pregnancy** [πρέγκνανσι]
Έγκυος / Έκτρωση [eggios / ektrossi]	**Pregnant / Abortion** [πρέγκναν'τ / αμπόρσσν]
Έλκος (στομάχου). [elkos (stomahou)]	**Gastric ulcer.** [γκάστρικ ούλσερ]
Εξάνθημα [exanthima]	**Exanthema (rush)** [εξανθίμα (ρασς)]
Επιδημία [epidimia]	**Epidemic** [επιντέμικ]
Επιληψία / Έρπης [epilipsia / erpis]	**Epilepsy / Herpes** [επίλεπσι / χερπς]
Ερυθρά / Ευλογιά [erithra / evlogia]	**Rubella / Smallpox** [ραμπέλα / σμόλποξ]

Η ΥΓΕΙΑ – ΟΙ ΑΣΘΕΝΕΙΕΣ [i igia – i asthenies]	**HEALTH – ILLNESSES** [χελθ - ίλνεσιζ]
Ζάλη / Ζαλάδα [zali / zalada]	**Dizziness** [ντίζινες]
Ημικρανία / Ηπατίτιδα [imikrania / ipatitida]	**Migraine / Hepatitis** [μάιγκρεϊν / χεπατίτις]
Ίκτερος / Ιλαρά [ikteros / ilara]	**Jaundice / Measles** [τζόννтις / μισλς]
Καρκίνος [karkinos]	**Cancer** [κάνσερ]
Καρδιακή πάθηση. [kardiaki pathissi]	**Heart disease.** [χαρτ ντιζίζ]
Κούραση [kourassi]	**Fatigue** [φατίγκ]
Κράμπα [kraba]	**Cramp** [κραμ'π]
Κρυολόγημα [kriologima]	**Cold** [κολντ]
Κωφάλαλος / κουφός [kofalalos / koufos]	**Dumb / Deaf** [νταμ'π / ντεφ]
Λιποθυμία [lipothimia]	**Faint** [φέιν'τ]
Λοίμωξη [limoxi]	**Infection** [ινφέκσσν]
Μόλυνση [molinsi]	**Contamination (infection)** [κον'ταμινέισσν (ινφέκσσν)]
Μυωπία [miopia]	**Short sight** [σσορτ σάιτ]
Μώλωπας [molopas]	**Bruise** [μπρουζ]

Η ΥΓΕΙΑ – ΟΙ ΑΣΘΕΝΕΙΕΣ [i igia – i asthenies]	**HEALTH – ILLNESSES** [χελθ - ίλνεσιζ]
Ναυτία / Νεκρός [naftia / nekros]	**Nausea / Dead** [νόσσια / ντεντ]
Παράλυση [paralissi]	**Paralysis** [παράλισις]
Παχυσαρκία [pahissarkia]	**Obesity** [ομπίσιτι]
Πίεση ψηλή / χαμηλή. [piessi psili / hamili]	**High / low blood pressure.** [χάι / λόου μπλαντ πρέσσερ]
Πλευρίτιδα [plevritida]	**Pleurisy** [πλόρισι]
Πληγή / Τραύμα [pligi / travma]	**Wound / Injury** [γουννт / ίντζουρι]
Πνευμονία [pnevmonia]	**Pneumonia** [πνιουμόνια]
Πονοκέφαλος [ponokefalos]	**Headache** [χέντεϊκ]
Πόνος / Πρήξιμο [ponos / priximo]	**Pain (ache) / Swelling** [πέιν (έικ) / σουέλιν]
Πυρετός / Σοκ [piretos / sok]	**Fever / Shock** [φίβερ / σσοκ]
Ρευματισμός [revmatismos]	**Reumatism** [ρέματιζμ]
Σκωληκοειδίτιδα [skolikoiditida]	**Appendicitis** [απενντισίτις]
Στεφανιαία ανεπάρκεια. [stefaniea aneparkia]	**Coronary insufficiency (weak heart)** [κορόνερι ινσαφίσσενσι (γουίκ χαρτ)]

Η ΥΓΕΙΑ – ΟΙ ΑΣΘΕΝΕΙΕΣ [i igia – i asthenies]	**HEALTH – ILLNESSES** [χελθ - ίλνεσιζ]
Στομαχόπονος [stomahoponos]	**Stomachache** [στόμακεϊκ]
Συνάχι [sinahi]	**Catarrh (cold)** [κέταρ (κολντ)]
Σύφιλη [sifili]	**Syphilis (pox)** [σίφιλις (ποξ)]
Ταχυκαρδία [tahikardia]	**Tachycardia** [ταχικάρντια]
Τοκετός [toketos]	**Delivery** [ντελίβερι]
Τυφλός / Τύφος [tiflos / tifos]	**Blind / Typhus** [μπλάιννT / τίφους]
Υπέρταση [ipertassi]	**High blood pressure** [χάι μπλαντ πρέσσουρ]
Υπόταση [ipotassi]	**Low blood pressure** [λόου μπλαντ πρέσσουρ]
Φαγούρα [fagoura]	**Itching** [ίτσσιν]
Χολέρα [holera]	**Cholera** [κολέρα]
Φλεγμονή [flegmoni]	**Inflammation** [ινφλαμέισσν]
Φυματίωση [fimatiossi]	**Tuberculosis** [τουμπερκιουλόζις]

ΤΟ ΤΡΟΧΑΙΟ / ΑΥΤΟΚΙΝΗΤΙΣΤΙΚΟ ΑΤΥΧΗΜΑ [to troheo / aftokinitistiko atihima]	**THE ROAD / CAR ACCIDENT** [δε ρόουντ / καρ άξιντεν'τ]
Μάρτυρας [martiras]	**Witness** [γουίτνες]
Σύγκρουση / τρακάρισμα [siggroussi / trakarisma]	**Crash** [κρασς]
Τροχαία [trohea]	**Traffic police** [τράφικ πολίς]
Θανατηφόρο ατύχημα. [thanatiforo atihima]	**Fatality / mortal accident.** [φατάλιτι / μόρταλ άξιντεν'τ]
Έγινε κάποιο ατύχημα, τηλεφωνήστε παρακαλώ ... [egine kapio atihima, tilefoniste parakalo]	**There's been an accident, will you please call ...** [δεάρζ μπιν εν άξιντεν'τ, γουίλ γιού πλιζ κολ]
- **στο σταθμό πρώτων βοηθειών.** - [stó stathmo proton voithion]	- **the first-aid station.** - [δε φέρστ εντ στέισσν]
- **στην αστυνομία.** - [stin astinomia]	- **the police.** - [δε πολίς]
Αυτός ο άνθρωπος είναι βαριά / άσχημα τραυματισμένος. [aftos o anthropos ine varia / ashima travmatismenos]	**This man is badly / heavily injured.** [δις μαν ιζ μπάντλι / χέβιλι ίντζουρντ]
Το ασθενοφόρο / νοσοκομειακό έρχεται. [to asthenoforo / nosokomiako erhete]	**The ambulance is on the way.** [δι άμπιουλανς ιζ ον δε γουέι]

ΤΟ ΤΡΟΧΑΙΟ / ΑΥΤΟΚΙΝΗΤΙΣΤΙΚΟ ΑΤΥΧΗΜΑ [to troheo / aftokinitistiko atihima]	**THE ROAD / CAR ACCIDENT** [δε ρόουντ / καρ άξιντεν'τ]
Υπάρχει κάποιος τραυματίας; [iparhi kapios travmatias]	**Are there any injured people?** [αρ δέαρ ένι ίντζουρντ πιπλ]
Χτύπησε κανείς; [htipisse kanis]	**Is anyone hurt?** [ιζ ένιουαν χερτ]
Χρειάζεστε βοήθεια; [hriazeste voithia]	**Do you need help?** [ντου γιού νιντ χελπ]
Το αυτοκίνητο μου έπαθε (μεγάλη) ζημιά. [to aftokinito mou epathe (megali) zimia]	**My car is (badly) damaged.** [μάι καρ ιζ (μπάντλι) ντάματζντ]
Πρέπει να φωνάξω ένα γερανό να πάρει το αμάξι μου. [prepi na fonaxo ena gerano na pari to amaxi mou]	**I must call a lifting tackle to take my car.** [άι μαστ κολ ε λίφτιν τακλ του τέικ μάι καρ]
Είναι ασήμαντη η ζημιά που έπαθα. [ine assimaddi i zimia pou epatha]	**My car's damage is a minor one.** [μάι καρς ντάμιτζ ιζ ε μάινορ ουάν]
Η ασφάλεια καλύπτει τις ζημιές του αυτοκινήτου μου. [i asfalia kalipti tis zimies tou aftokinitou mou]	**The insurance covers the damage of my car.** [δε ίνσουρανς κάβερς δε ντάματζ οβ μάι καρ]
Ποιος έφταιγε; [pios eftege]	**Whose fault was it?** [χουζ φολτ γουόζ ιτ]

ΤΟ ΤΡΟΧΑΙΟ / ΑΥΤΟΚΙΝΗΤΙΣΤΙΚΟ ΑΤΥΧΗΜΑ [to troheo / aftokinitistiko atihima]	**THE ROAD / CAR ACCIDENT** [δε ρόουντ / καρ άξιντεν'τ]
Το λάθος ήταν δικό μου. [to lathos itan diko mou]	**It was my mistake.** [ιτ γουόζ μάι μιστέικ]
Έχω προτεραιότητα. [eho protereotita]	**I have right of way.** [άι χαβ ράιτ οβ γουέι]
Ας περιμένουμε την αστυνομία για να βγάλει πόρισμα. [as perimenoume tin astinomia gia na vgali porisma]	**Let's wait for the police to come to a conclusion.** [λετς γουέιτ φορ δε πολίς του καμ του ε κονκλούζν]
Δώστε μου το όνομα και το τηλέφωνό σας. [doste mou to onoma ke to tilefono sas]	**Give me your name and phone number.** [γκιβ μι γιόρ νέιμ εννт φόουν νάμμπερ]
Μπορώ να δω ... [boro na do]	**May I see ...** [μέι άι σι]
- **το δίπλωμα σας;** - [to diploma sas]	- **your driving licence?** - [γιόρ ντράιβιν λάισενς]
- **την άδεια κυκλοφορίας;** - [tin adia kikloforias]	- **your car licence?** - [γιόρ καρ λάισενς]

Ο ΓΙΑΤΡΟΣ [o giatros]	**THE DOCTOR** [δε ντόκτορ]
Ασθενής [asthenis]	**Patient** [πέισσν'τ]
Δίαιτα / Μασάζ [dieta / masaz]	**Diet / Massage** [ντάιετ / μασσάζ]
Εμβολιασμός [emvoliasmos]	**Vaccination** [βαξινέισσν]
Ι.Κ.Α. (Ίδρυμα Κοινωνικών Ασφαλίσεων) [ika (idrima kinonikon asfalisseon]	**Social Security Institution.** [σόουσσαλ σεκιούριτι ινστιτούσσν]
Εφημερεύων γιατρός. [efimerevon giatros]	**Duty doctor.** [ντιούτι ντόκτορ]
Πιστοποιητικό ιατρού. [pistopiitiko giatrou]	**Health certificate.** [χελθ σερτίφικεϊτ]
Θα ήθελα / Θέλω να κλεί-σω ένα ραντεβού με τον... [tha ithela / thelo na klisso ena raddevou me ton]	**I'd like to make an appointment with the ...** [άιντ λάικ του μέικ εν απόιν'τμεν'τ γουίδ δε]
- **παθολόγο.** - [pathologo]	- **G.P. (general practitioner).** - [τζι πι (τζένεραλ πρακτίσσνερ]
- **γυναικολόγο.** - [ginekologo]	- **gynaecologist.** - [τζαϊνικόλοτζιστ]
- **δερματολόγο.** - [dermatologo]	- **dermatologist.** - [ντερματόλοτζιστ]
Ποιες είναι οι ώρες επίσκεψης; [pies ine i ores episkepsis]	**What are the visiting hours?** [γουότ αρ δε βίζιτιν άουαρς]
Τι ώρα να περάσω; [ti ora na perasso]	**What time shall I come?** [γουότ τάιμ σσαλ άι καμ]

Ο ΓΙΑΤΡΟΣ [o giatros]	**THE DOCTOR** [δε ντόκτορ]
Δεν αισθάνομαι / είμαι καλά. [den esthanome / ime kala]	**I don't feel / am not very well.** [άι ντον'τ φιλ / αμ νοτ βέρι γουέλ]
Αισθάνομαι (πολύ) άσχημα. [esthanome (poli) ashima]	**I feel (really) bad.** [άι φιλ (ρίλι) μπαντ]
Είμαι (πολύ) άρρωστος. [ime (poli) arostos]	**I'm (very) sick.** [άιμ (βέρι) σικ]
Τι έχετε; [ti ehete]	**What's wrong with you?** [γουότς ρον γουίδ γιού]
Τι συμπτώματα έχετε / παρουσιάζετε; [ti simptomata ehete / parousiazete]	**What are the symptoms?** [γουότ αρ δε σίμ'πτομς]
Πού πονάτε; [pou ponate]	**Where do you hurt?** [γουέαρ ντου γιού χερτ]
Με πονάει ... [me ponai]	**I have a pain in ...** [άι χαβ ε πέιν ιν]
- **το κεφάλι.** - [to kefali]	- **the head.** - [δε χεντ]
- **το συκώτι.** - [to sikoti]	- **the liver.** - [δε λίβερ]
- **το στήθος.** - [to stithos]	- **the chest.** - [δε τσσεστ]
Έχω ... [eho]	**I've got ...** [άιβ γκοτ]
- **συνάχι και βήχα.** - [sinahi ke viha]	- **a cold and a cough.** - [ε κολντ εννт ε κοφ]
- **δυσκοιλιότητα.** - [diskiliotita]	- **constipation.** - [κονστιπέισσν]

Ο ΓΙΑΤΡΟΣ [o giatros]	**THE DOCTOR** [δε ντόκτορ]
- **ζαλάδες.** - [zalades]	- **dizziness.** - [ντίζινες]
- **πίεση.** - [piessi]	- **high blood pressure.** - [χάι μπλαντ πρέσσουρ]
- **δυσπεψία.** - [dispepsia]	- **indigestion.** - [ιννιτιτζέστσσν]
Έχω ένα πόνο στο ... [eho ena pono sto]	**I've got a pain in the ...** [άιβ γκοτ ε πέιν ιν δε]
- **λαιμό.** - [lemo]	- **neck.** - [νεκ]
- **χέρι / πόδι.** - [heri / podi]	- **arm / leg.** - [αρμ / λεγκ]
- **στομάχι.** - [stomahi]	- **stomach.** - [στόμακ]
Είμαι κρυωμένος / συναχωμένος. [ime kriomenos / sinahomenos]	**I've caught a cold.** [άιβ κοτ ε κολντ]
Είμαι έγκυος. [ime eggios]	**I'm pregnant.** [άιμ πρέγκναν'τ]
Υποφέρω από ... [ipofero apo]	**I suffer from ...** [άι σάφερ φρομ]
- **αϋπνία.** - [aipnia]	- **insomnia.** - [ινσόμνια]
- **διάρροια.** - [diaria]	- **the runs.** - [δε ρανς]
- **συνάχι.** - [sinahi]	- **a cold.** - [ε κολντ]
Δεν έχω καθόλου όρεξη. [den eho katholou orexi]	**I've got a bad appetite.** [άιβ γκοτ ε μπαντ άπεταϊτ]

Ο ΓΙΑΤΡΟΣ [o giatros]	**THE DOCTOR** [δε ντόκτορ]
Από πότε σας πονάει; [apo pote sas ponai]	**Since when have you got this pain?** [σινς γουέν χαβ γιού γκοτ δις πέιν]
Από πότε έχετε αυτά τα συμπτώματα; [apo pote ehete afta ta simptomata]	**Since when have you got these symptoms?** [σινς γουέν χαβ γιού γκοτ διζ σίμ'πτομς]
Πόσο καιρό πονάτε / σας πονάει; [posso kero ponate / sas ponai]	**How long have you / has it been hurting?** [χάου λονγκ χαβ γιού / χαζ ιτ μπιν χέρτιν]
(Πονάω) από ... [(ponao) apo]	**I've hurt since ...** [άιβ χερτ σινς]
- **χθες το βράδυ.** - [hthes to vradi]	- **last night.** - [λαστ νάιτ]
- **την Τετάρτη.** - [tin tetarti]	- **Wednesday.** - [γουένζντεϊ]
Ανοίξτε το στόμα σας. [anixte to stoma sas]	**Open your mouth.** [όπεν γιόρ μάουθ]
Ξαπλώστε, παρακαλώ. [xaploste, parakalo]	**Lie down, please.** [λάι ντάουν πλιζ]
Γδυθείτε, παρακαλώ. [gthithite, parakalo]	**Get undressed, please.** [γκετ αννtρέσντ πλιζ]
Θα σας μετρήσω το σφυγμό. [tha sas metrisso to sfigmo]	**I'll feel your pulse.** [άιλ φιλ γιόρ παλς]
Ο σφυγμός σας είναι κανονικός / ακανόνιστος. [o sfigmos sas ine kanonikos / akanonistos]	**Your pulse is regular / irregular.** [γιόρ παλς ιζ ρέγκιουλαρ / ιρέγκιουλαρ]

Ο ΓΙΑΤΡΟΣ [o giatros]	**THE DOCTOR** [δε ντόκτορ]
Έχω ... [eho]	**I've got ...** [άιβ γκοτ]
- **υψηλή πίεση.** - [ipsili piessi]	- **high blood pressure.** - [χάι μπλαντ πρέσσουρ]
- **χαμηλή πίεση.** - [hamili piessi]	- **low blood pressure.** - [λόου μπλαντ πρέσσουρ]
Βήχετε; [vihete]	**Do you cough?** [ντου γιού κοφ]
Τρέχει η μύτη σας; [trehi i miti sas]	**Have you got a catarrh?** [χαβ γιού γκοτ ε κέταρ]
Έχω υψηλό πυρετό. [eho ipsilo pireto]	**I've got a high temperature.** [άιβ γκοτ ε χάι τέμ'περατσσουρ]
Έχετε κάνει εμετό; [ehete kani emeto]	**Have you vomitted?** [χαβ γιού βομίτιντ]
Πρέπει να κάνετε ... [prepi na kanete]	**You must make (have) ...** [γιού μαστ μέικ (χαβ)]
- **ανάλυση ούρων.** - [analissi ouron]	- **a urine analysis.** - [ε γιούριν ανάλισις]
- **εξετάσεις αίματος.** - [exetassis ematos]	- **blood tests.** - [μπλαντ τεστς]
- **μια ακτινογραφία.** - [mia aktinografia]	- **an X-ray.** - [εν εξ ρέι]
- **αυτές τις ενέσεις.** - [aftes tis enessis]	- **these injections.** - [διζ ιντζέκσσνς]
Ποια είναι η διάγνωση, γιατρέ; [pia ine i diagnossi, giatre]	**What's the diagnosis, doctor?** [γουότς δε νταϊαγκνόουσις, ντόκτορ]
Δεν είναι τίποτε σοβαρό. [den ine tipote sovaro]	**It's nothing serious.** [ιτς νάθιν σίριους]

Ο ΓΙΑΤΡΟΣ [o giatros]	**THE DOCTOR** [δε ντόκτορ]
Δεν έχετε κάτι το ανησυχητικό / σοβαρό. [den ehete kati to anissihitiko / sovaro]	**You have nothing worrying / serious.** [γιού χαβ νάθιν γουόριιν / σίριους]
Η κατάστασή σας είναι πολύ επείγουσα / σοβαρή. [i katastassi sas ine poli epigoussa / sovari]	**Your condition is very critical / serious.** [γιόρ κονντίσσν ιζ βέρι κρίτικαλ / σίριους]
Πρέπει να μπείτε αμέσως στο Νοσοκομείο. [prepi na bite amessos sto nossokomio]	**You must enter the hospital immediately.** [γιού μαστ έν'τερ δε χόσπιταλ ιμίντιατλι]
Πρέπει να κάνετε μια μικρή επέμβαση. [prepi na kanete mia mikri epemvassi]	**You must make a minor operation.** [γιού μαστ μέικ ε μάινορ οπερέισσν]
Έχετε μολυσματική ασθένεια. Προσέξτε μην κολλήσετε κανέναν. [ehete molismatiki asthenia. prosexte min kolissete kanenan]	**You've got a contagious disease. Be careful not to contaminate anyone.** [γιούβ γκοτ ε κον'τέιτζους ντιζίζ. μπι κέαρφουλ νοτ του κον'τάμινεϊτ ένιουαν]
Πρέπει να μείνετε μερικές μέρες στο κρεβάτι. [prepi na minete merikes meres sto krevati]	**You must stay in bed for a few days.** [γιού μαστ στέι ιν μπεντ φορ ε φιού ντέιζ]
Θα σας δώσω λίγες μέρες άδεια. [tha sas dosso liges meres adia]	**I'll give you some days off work.** [άιλ γκιβ γιού σαμ ντέιζ οφ γουέρκ]

Ο ΓΙΑΤΡΟΣ [o giatros]	**THE DOCTOR** [δε ντόκτορ]
Θα σας γράψω ... [tha sas grapso]	**I'll write out ...** [άιλ ράιτ άουτ]
- **μια θεραπεία.** - [mia therapia]	- **a treatment.** - [ε τρίτμεν'τ]
- **μια συνταγή.** - [mia siddagi]	- **a prescription.** - [ε πρεσκρίπσσν]
- **κάποια φάρμακα.** - [kapia farmaka]	- **some medicine.** - [σαμ μέντισιν]
Είστε αλλεργικός σε κάποιο φάρμακο; [iste alergikos se kapio farmako]	**Are you allergic in any medicine?** [αρ γιού αλέρτζικ ιν ένι μέντεσεν]
Ναι, είμαι αλλεργικός ... [ne, ime alergikos]	**Yes, I'm allergic ...** [γιές, άιμ αλέρτζικ]
- **στα αυγά.** - [sta avga]	- **to eggs.** - [του εγκς]
- **στις φράουλες.** - [stis fraoules]	- **to strawberries.** - [του στρόμπεριζ]
Είστε ασφαλισμένος; [iste asfalismenos]	**Are you socially secured?** [αρ γιού σόσσαλι σεκιούρντ]
Έχετε βιβλιάριο ασθενείας; [ehete vivliario asthenias]	**Have you got a health booklet?** [χαβ γιού γκοτ ε χελθ μπούκλετ]
Μπορώ να το δω; [boro na to do]	**May I see it?** [μέι άι σι ιτ]

Ο ΓΙΑΤΡΟΣ [o giatros]	**THE DOCTOR** [δε ντόκτορ]
Αν δεν έχετε βιβλιάριο ασθενείας, θα πρέπει να αγοράσετε μόνος σας τα φάρμακα από το φαρμακείο. [an den ehete vivliario asthenias, tha prepi na agorassete monos sas ta farmaka apo to farmakio]	**If you haven't got a health booklet, you'll have to pay for the medicine yourself.** [ιφ γιού χάβεν'τ γκοτ ε χελθ μπούκλετ, γιούλ χαβ του πέι φορ δε μέντεσεν γιορσέλφ]
Θα σας δώσω μια αλοιφή για να κάνετε επάλειψη κάθε ... ώρες. [tha sas dosso mia alifi gia na kanete epalipsi kathe ... ores]	**I'll write out an ointment to rub every ... hours.** [άιλ ράιτ άουτ εν όιν'τμεν'τ του ραμπ έβρι ... άουαρς]
Αν τα πράγματα χειροτε-ρέψουν να έρθετε αμέσως εδώ. [an ta pragmata hiroterepsoun na erthete amessos edo]	**If things get worse, come here immediately.** [ιφ θινγκς γκετ γουόρς, καμ χίαρ ιμίντιατλι]
Αν υπάρξουν παρενέργειες, να σταματήσετε τα χάπια. [an iparxoun parenergies, na stamatissete ta hapia]	**If there are any side effects, stop the pills.** [ιφ δέαρ αρ ένι σάιντ εφέκτς, στοπ δε πιλς]

Ο ΟΔΟΝΤΙΑΤΡΟΣ [o ododdiatros]	**THE DENTIST** [δε ντέν'τιστ]
Οδοντόβουρτσα [ododdovourtsa]	**Toothbrush** [τούθμπρασς]
Οδοντόκρεμα [ododdokrema]	**Toothpaste** [τούθπεϊστ]
Τραπεζίτης [trapezitis]	**Molar** [μόουλαρ]
Φρονιμίτης [fronimitis]	**Eye-tooth** [άι τουθ]
Θα ήθελα να κλείσω ένα ραντεβού. [tha ithela na klisso ena raddevou]	**I'd like to make an appointment.** [άιντ λάικ του μέικ εν απόιν'τμεν'τ]
Με πονάει το δόντι μου. [me ponai to doddi mou]	**I've got a sore tooth.** [άιβ γκοτ ε σορ τουθ]
Έχω ένα πόνο στο δόντι. [eho ena pono sto doddi]	**I've got a toothache.** [άιβ γκοτ ε τούθεϊκ]
Έχω πονόδοντο. [eho ponododdo]	**I've got a toothache.** [άιβ γκοτ ε τούθεϊκ]
Ποιο δόντι σας πονάει; [pio doddi sas ponai]	**Which tooth does it ache?** [γουότ τουθ νταζ ιτ έικ]
Ανοίξτε / κλείστε το στόμα σας, παρακαλώ. [anixte / kliste to stoma sas, parakalo]	**Open / close your mouth, please.** [όπεν / κλόουζ γιόρ μάουθ πλιζ]
Πονάει εδώ; [ponai edo]	**Does it hurt here?** [νταζ ιτ χερτ χίαρ]
Με πονάει συνέχεια. [me ponai sinehia]	**It hurts me all the time.** [ιτ χερτς μι ολ δε τάιμ]

Ο ΟΔΟΝΤΙΑΤΡΟΣ [o ododdiatros]	**THE DENTIST** [δε ντέν'τιστ]
Έχω ανυπόφορους πόνους. [eho anipoforous ponous]	**I've got unbearable pains.** [άιβ γκοτ ανμπέαραμπλ πέινς]
Πρέπει να σας κάνω σφράγισμα. [prepi na sas kano sfragisma]	**I must make a filling.** [άι μαστ μέικ ε φίλιν]
Το σφράγισμα που είχατε, έφυγε. [to sfragisma pou ihate, efige]	**The filling you had came out.** [δε φίλιν γιού χαντ κέιμ άουτ]
Πρέπει να σας βάλω γέφυρα. [prepi na sas valo gefira]	**I must put you a bridge.** [άι μαστ πουτ γιού ε μπριτζ]
Το δόντι που σας πονά είναι ... [to doddi pou sas pona ine]	**The aching tooth is ...** [δι έικιν τουθ ιζ]
- **κούφιο.** - [koufio]	- **hollow.** - [χόλοου]
- **σάπιο.** - [sapio]	- **decayed.** - [ντίκεϊντ]
Πρέπει να σας βγάλω αυτό το δόντι. [prepi na sas vgalo afto to doddi]	**I must take this tooth off.** [άι μαστ τέικ δις τουθ οφ]
Θα σας κάνω τοπική αναισθησία. [tha sas kano topiki anesthissia]	**I'll give you local anaesthesia.** [άιλ γκιβ γιού λόουκαλ ανεστέζια]
Έχετε πολλή τερηδόνα. [ehete poli teridona]	**You've got a lot of decay.** [γιούβ γκοτ ε λοτ οβ ντίκεϊ]

Ο ΟΔΟΝΤΙΑΤΡΟΣ [o ododdiatros]	**THE DENTIST** [δε ντέν'τιστ]
Αυτό το δόντι κουνιέται. [afto to doddi kouniete]	**This tooth is loose.** [δις τουθ ιζ λους]
Αυτό το δόντι έσπασε. [afto to doddi espasse]	**This tooth has broken.** [δις τουθ χαζ μπρόκεν]
Η μασέλα μου έχει σπάσει. [i massela mou ehi spassi]	**My dentures have broken.** [μάι ντέν'τσουρς χαβ μπρόκεν]
Τα ούλα μου είναι ... [ta oula mou ine]	**My gums are ...** [μάι γκαμς αρ]
- **ερεθισμένα.** - [erethismena]	- **inflamed.** - [ινφλέιμντ]
- **πρησμένα.** - [prismena]	- **swollen.** - [σουόλεν]
Ξεπλύνετε το στόμα σας, παρακαλώ. [xeplinete to stoma sas, parakalo]	**Wash out your mouth, please.** [γουόσς άουτ γιόρ μάουθ, πλιζ]
Μπορείτε να μου γράψετε κάποιο παυσίπονο; [borite na mou grapsete kapio pafsipono]	**Can you write out a sedative?** [καν γιού ράιτ άουτ ε σέντατιβ]

ΤΟ ΦΑΡΜΑΚΕΙΟ [to farmakio]	**THE DRUGSTORE** [δε ντράγκστορ]
Αλοιφή [alifi]	**Ointment** [όιν'τμεν'τ]
Αμμωνία [amonia]	**Ammonia** [αμόουνια]
Αντιβιοτικά [antiviotika]	**Antibiotics** [αν'τιμπαϊότικς]
Ασπιρίνη [aspirini]	**Aspirin** [άσπιριν]
Βαμβάκι [vamvaki]	**Cotton** [κότον]
Βιταμίνες [vitamines]	**Vitamins** [βάιταμινς]
Ένεση [enessi]	**Injection** [ιντζέκσον]
Ιώδιο [iodio]	**Iodine** [άιονταϊν]
Θερμόμετρο [thermometro]	**Thermometer** [θερμόμιτερ]
Οινόπνευμα [inopnevma]	**Alcohol** [άλκοχολ]
Παυσίπονο [pafsipono]	**Sedative** [σεντέιτιβ]
Υπνωτικό [ipnotiko]	**Sleeping pill** [σλίπιν πιλ]
Υπόθετο [ipotheto]	**Suppository** [σαποζίτορι]
Μπορείτε να μου πείτε πού έχει ένα φαρμακείο, εδώ κοντά; [borite na mou pite pou ehi ena farmakio, edo kodda]	**Can you tell me if there is a drugstore near here?** [καν γιού τελ μι ιφ δέαρ ιζ ε ντράγκστορ νίαρ χίαρ]

ΤΟ ΦΑΡΜΑΚΕΙΟ [to farmakio]	**THE DRUGSTORE** [δε ντράγκστορ]
Ξέρετε ποιο φαρμακείο διανυκτερεύει; [xerete pio farmakio dianikterevi]	**Do you know which drugstore is on duty?** [ντου γιού νόου γουίτσς ντράγκστορ ιζ ον ντιούτι]
Έχετε κάποιο καλό φάρμακο για ...; [ehete kapio kalo farmako gia]	**Have you got any good medicine for ...?** [χαβ γιού γκοτ ένι γκουντ μένμτεσεν φορ]
Έχετε σιρόπι για το βήχα; [ehete siropi gia to viha]	**Have you got any syrup for the cough?** [χαβ γιού γκοτ ένι σάιρουπ φορ δε κοφ]
Θα έπρεπε να σας δει γιατρός με τα συμπτώματα που έχετε. [tha eprepe na sas di giatros me ta simptomata pou ehete]	**With these symptoms you should see a doctor.** [γουίδ διζ σίμ'πτομς γιού σσουντ σι ε ντόκτορ]
Έχετε ιατρική συνταγή; [ehete iatriki siddagi]	**Have you got a prescription?** [χαβ γιού γκοτ ε πρεσκρίπσσν]
Δεν μπορώ να σας δώσω αυτό το φάρμακο χωρίς ιατρική συνταγή. [den boro na sas dosso afto to farmako horis iatriki siddagi]	**I can't give you this medicine without a prescription.** [άι καν'τ γκιβ γιού δις μέντεσεν γουιδάουτ ε πρεσκρίπσσν]
Μπορείτε να μου ετοιμάσετε / φτιάξετε αυτή τη συνταγή παρακαλώ; [borite na mou etimassete / ftiaxete afti ti siddagi parakalo]	**Can you fill / make out this prescription please?** [καν γιού φιλ / μέικ άουτ δις πρεσκρίπσσν πλιζ]

ΤΟ ΦΑΡΜΑΚΕΙΟ [to farmakio]	**THE DRUGSTORE** [δε ντράγκστορ]
Θα πάρει πολύ ώρα; [tha pari poli ora]	**Will it take long?** [γουίλ ιτ τέικ λονγκ]
Να παίρνετε ένα χάπι ... [na pernete ena hapi]	**You must take a pill ...** [γιού μαστ τέικ ε πιλ]
- **κάθε ... ώρες.** - [kathe ... ores]	- **every ... hours.** - [έβρι ... άουαρς]
- **μία φορά την ημέρα.** - [mia fora tin imera]	- **once a day.** - [ουάνς ε ντέι]
- **δύο φορές την ημέρα.** - [dio fores tin imera]	- **twice a day.** - [τουάις ε ντέι]
- **πριν / μετά το φαγητό.** - [prin / meta to fagito]	- **before / after lunch.** - [μπιφόρ / άφτερ λαντσς]
Υπάρχουν οδηγίες; [iparhoun odigies]	**Are there any instructions?** [αρ δέαρ ένι ινστράκσσνς]
Υπάρχουν παρενέργειες; [iparhoun parenergies]	**Are there any side effects?** [αρ δέαρ ένι σάιντ εφέκτς]
Μου χρειάζεται ένας επίδεσμος. [mou hriazete enas epidesmos]	**I need a bandage.** [άι νιντ ε μπάννταtζ]

ΤΟ ΝΟΣΟΚΟΜΕΙΟ [to nossokomio]	**THE HOSPITAL** [δε χόσπιταλ]
Αναισθησιολόγος [anesthissiologos]	**Anaesthetist** [ανεστέτιστ]
Ασθενοφόρο / νοσοκομειακό [asthenoforo / nossokomiako]	**Ambulance** [άμμπιουλανς]
Κλινική [kliniki]	**Clinic** [κλίνικ]
Η κατάστασή σας είναι επείγουσα / σοβαρή. [i katastassi sas ine epigoussa / sovari]	**Your condition is critical / serious.** [γιόρ κοννtίσσν ιζ κρίτικαλ / σίριους]
Θα πρέπει να εισαχθείτε / μπείτε στο νοσοκομείο αμέσως. [tha prepi na issahthite / bite sto nossokomio amessos]	**You must enter the hospital immediately.** [γιού μαστ έν'τερ δε χόσπιταλ ιμίντιατλι]
Θα πρέπει να κάνετε μερικές ἐξετάσεις. [tha prepi na kanete merikes exetassis]	**You must have some tests.** [γιού μαστ χαβ σαμ τεστς]
Είναι δύσκολο να δούμε από αυτές τις εξετάσεις τι ακριβώς έχετε. [ine diskolo na doume apo aftes tis exetassis ti akrivos ehete]	**From those tests it's difficult to see what is wrong with you.** [φρομ δόουζ τεστς ιτς ντίφικαλτ του σι γουότ ιζ ρονγκ γουίδ γιού]
Στο νοσοκομείο θα κάνετε πιο αναλυτικές εξετάσεις. [sto nossokomio tha kanete pio analitikes exetassis]	**You'll have more elaborate tests in the hospital.** [γιούλ χαβ μορ ελάμπορεϊτ τεστς ιν δε χόσπιταλ]

ΤΟ ΝΟΣΟΚΟΜΕΙΟ [to nossokomio]	**THE HOSPITAL** [δε χόσπιταλ]
Είστε ασφαλισμένος; [iste asfalismenos]	**Are you socially secured?** [αρ γιού σόσσαλι σεκιούρντ]
Η ασφάλεια δεν σας καλύπτει ... [i asfalia den sas kalipti]	**Your insurance doesn't cover ...** [γιόρ ίνσουρανς νταζν't κάβερ]
- **την αμοιβή του γιατρού.** - [tin amivi tou giatrou]	- **the doctor's fee.** - [δε ντόκτορς φι]
- **το δωμάτιο Α΄ θέσης.** - [to domatio protis thessis]	- **the first class room.** - [δε φερστ κλας ρουμ]
Δεν είμαι ασφαλισμένος. [den ime asfalismenos]	**I'm not socially secured.** [άιμ νοτ σόσσαλι σεκιούρντ]
Θα πρέπει να πληρώσετε μόνος όλα τα έξοδα του Νοσοκομείου. [tha prepi na plirossete monos ola ta exoda tou nossokomiou]	**You'll have to pay all the expenses yourself.** [γιούλ χαβ του πέι ολ δι εξπένσιζ γιορσέλφ]
Θα χρειαστεί να κάνετε μια μικρή επέμβαση. [tha hriasti na kanete mia mikri epemvassi]	**You must make a minor operation.** [γιού μαστ μέικ ε μάινορ οπερέισσν]
Θα χρειαστεί να κάνετε εγχείρηση. [tha hriasti na kanete enhirissi]	**You'll have to be operated on.** [γιούλ χαβ του μπι οπερέιτεντ ον]
Μην ανησυχείτε. [min anissihite]	**Don't worry.** [ντον't γουόρι]
Η εγχείρηση είναι πολύ απλή. [i enhirissi ine poli apli]	**The operation is really simple.** [δι οπερέισσν ιζ ρίλι σιμ'πλ]

ΤΟ ΝΟΣΟΚΟΜΕΙΟ [to nossokomio]	**THE HOSPITAL** [δε χόσπιταλ]
Δεν παρουσιάζει κανένα κίνδυνο. [den paroussiazi kanena kindino]	**There are no risks.** [δέαρ αρ νο ρισκς]
Η νοσοκόμα θα σας ετοιμάσει για χειρουργείο. [i nossokoma tha sas etimassi gia hirourgio]	**The nurse will prepare you for the operation..** [δε νερς γουίλ πριπέαρ γιού φορ δι οπερέισσν]
Θα σας κάνουμε τοπική / ολική αναισθησία. [tha sas kanoume topiki / oliki anesthissia]	**We'll give you local / complete anaesthesia.** [γουίλ γκιβ γιού λόουκαλ / κομ'πλίτ ανεστέζια]
Δε θα υπάρξουν επιπλοκές. [den tha iparxoun epiplokes]	**There will be no complications.** [δέαρ γουίλ μπι νο κομ'πλικέισσνς]
Ίσως υπάρξουν κάποιες επιπλοκές. [issos iparxoun kapies epiplokes]	**Perhaps there will be certain complications.** [περχάπς δέαρ γουίλ μπι σέρτεν κομ'πλικέισσνς]
Οι πρώτες είκοσι τέσσερις ώρες θα είναι κρίσιμες. [i protes ikossi tesseris ores tha ine krissimes]	**The first twenty four hours are critical.** [δε φερστ τουέν'τι φορ άουαρς αρ κρίτικαλ]
Ο κίνδυνος πέρασε. [o kindinos perasse]	**The danger has passed.** [δε ντέιντζερ χας πασντ]
Η εγχείρηση είχε πλήρη επιτυχία. [i enhirissi ihe pliri epitihia]	**The operation was a total success.** [δι οπερέισσν γουόζ ε τόουταλ σαξές]

ΤΟ ΝΟΣΟΚΟΜΕΙΟ [to nossokomio]	**THE HOSPITAL** [δε χόσπιταλ]
Οι αναλύσεις είναι πολύ καλές. [i analissis ine poli kales]	**The tests are very good.** [δε τεστς αρ βέρι γκουντ]
Θα γίνετε γρήγορα καλά. [tha ginete grigora kala]	**You'll get well soon.** [γιούλ γκετ γουέλ σουν]
Αύριο θα είστε πολύ καλύτερα. [avrio tha iste poli kalitera]	**Tomorrow you'll be much better.** [τουμόροου γιούλ μπι ματς μπέτερ]

ΤΑ ΨΩΝΙΑ [ta psonia]	**THE SHOPPING** [δε σσόπιν]
Αγοράζω / Πουλάω [agorazo / poulao]	**Buy / Sell** [μπάι / σελ]
Απόδειξη [apodixi]	**Receipt** [ρισίτ]
Βιτρίνα [vitrina]	**Shop-window** [σσοπ γουίνντοου]
Ζαχαροπλαστείο [zaharoplastio]	**Pastry shop** [πάστρι σσοπ]
Ηλεκτρικά [ilektrika]	**Electric goods** [ελέκτρικ γκουντς]
Κατάστημα [katastima]	**Shop** [σσοπ]
Πωλητής / Ταμείο [politis / tamio]	**Salesman / Cash desk** [σέιλζμαν / κασς ντεσκ]
Χασάπικο [hassapiko]	**Butcher's** [μπούτσσερς]
Ψωνίζω [psonizo]	**Buy** [μπάι]
Σούπερ μάρκετ. [souper market]	**Super market.** [σούπερ μάρκετ]
Πότε ανοίγουν / κλείνουν τα μαγαζιά; [pote anigoun / klinoun ta magazia]	**When do the shops open / close?** [γουέν ντου δε σσοπς όουπεν / κλόουζ]
Μπορώ να βοηθήσω σε κάτι; [boro na voithisso se kati]	**Can I help you?** [καν άι χέλπ γιού]
Τι θα θέλατε; [ti tha thelate]	**What would you like?** [γουότ γουντ γιού λάικ]

ΤΑ ΨΩΝΙΑ [ta psonia]	**THE SHOPPING** [δε σσόπιν]
Πού είναι η λαϊκή; [pou ine i laiki]	**Where is the open market?** [γουέαρ ιζ δι όουπεν μάρκετ]
Πότε έχει λαϊκή εδώ; [pote ehi laiki edo]	**When is there an open market here?** [γουέν ιζ δέαρ εν όουπεν μάρκετ χίαρ]
Εδώ έχει λαϊκή ... [edo ehi laiki]	**There's an open market here ...** [δέαρζ εν όουπεν μάρκετ χίαρ]
- **κάθε Τρίτη.** - [kathe triti]	- **every Tuesday.** - [έβρι τιούζντεϊ]
- **κάθε μέρα.** - [kathe mera]	- **every day.** - [έβρι ντέι]
Θέλω ... [thelo]	**I want ...** [άι γουόν'τ]
- **ένα κιλό μπανάνες.** - [ena kilo bananes]	- **a kilo of bananas.** - [ε κίλο οβ μπανάναζ]
- **μισό κιλό μήλα.** - [misso kilo mila]	- **half a kilo of apples.** - [χαφ ε κίλο οβ απλς]
- **ένα λίτρο γάλα.** - [ena litro gala]	- **a litre of milk.** - [ε λιτρ οβ μιλκ]
- **μισό λίτρο κρασί.** - [misso litro krassi]	- **half a litre of wine.** - [χαφ ε λίτρ οβ γουάιν]
- **ένα ζευγάρι κάλτσες.** - [ena zevgari kaltses]	- **a pair of socks.** - [ε πέαρ οβ σσοκς]
Ό,τι πάρεις εκατό. [oti paris ekato]	**A hundred for anything you take.** [ε χάνντρεντ φορ ένιθιν γιού τέικ]

ΤΑ ΨΩΝΙΑ [ta psonia]	**THE SHOPPING** [δε σσόπιν]
Μου τα ζυγίζετε αυτά; [mou ta zigizete afta]	**Can you weigh these please?** [καν γιού γουέι διζ πλιζ]
Είναι φρέσκο αυτό το ψάρι; [ine fresko afto to psari]	**Is this fish fresh?** [ιζ δις φισς φρεσς]
Θα ήθελα ... [tha ithela]	**I'd like ...** [άιντ λάικ]
- **250 γραμμάρια ζαμπόν.** - [diakossia penidda gramaria zabon]	- **250 grams of ham.** - [του χάννρτεντ φίφτι γκραμς οβ χαμ]
- **¼ ζαμπόν.** - [ena tetarto zabon]	- **a quarter of a kilo of ham.** - [ε κουόρτερ οφ ε κίλο οβ χαμ]
- **μισό κιλό σαλάμι.** - [misso kilo salami]	- **half a kilo of salami.** - [χαφ ε κίλο οβ σαλάμι]
- **ένα κιλό τυρί για τοστ.** - [ena kilo tiri gia tost]	- **one kilo of toast cheese.** - [ουάν κίλο οβ τόουστ τσσιζ]
- **15 φέτες σαλάμι.** - [dekapedde fetes salami]	- **15 slices of salami.** - [φιφτίν σλάισιζ οβ σαλάμι]
- **ένα (μικρό) κοτόπουλο.** - [ena (mikro) kotopoulo]	- **a (small) chicken.** - [ε (σμολ) τσσίκεν]
- **3 μπριζόλες χοιρινές / μοσχαρίσιες.** - [tris brizoles hirines / mosharissies]	- **3 porkchops / veal cutlets.** - [θρι πόρκτσσοπς / βιλ κάτλετς]
Πόσο έχει το κιλό; [posso ehi to kilo]	**How much is the kilo?** [χάου ματς ιζ δε κίλο]

ΤΑ ΓΥΝΑΙΚΕΙΑ / ΑΝΔΡΙΚΑ ΡΟΥΧΑ [ta ginekia / andrika rouha]	**WOMEN'S / MEN'S CLOTHES** [γούμενς / μενς κλόουδζ]
Αδιάβροχο [adiavroho]	**Raincoat** [ρέινκοουτ]
Γραβάτα [gravata]	**Tie** [τάι]
Εσώρουχα [essorouha]	**Underwear** [άνντεργουεαρ]
Ζακέτα [zaketa]	**Jacket** [τζάκετ]
Ζώνη [zoni]	**Belt** [μπελτ]
Καλσόν [kalson]	**Tights** [τάιτς]
Κάλτσες [kaltses]	**Socks / stockings** [σσοκς / στόκινς]
Κουστούμι [koustoumi]	**Suit** [σσουτ]
Κιλότα [kilota]	**Panty** [πάν'τι]
Μαγιό [magio]	**Swimming-suit** [σουίμιν σσουτ]
Νυχτικό [nihtiko]	**Nightdress** [νάιτντρες]
Παλτό [palto]	**Coat** [κόουτ]
Παντελόνι [paddeloni]	**Trousers** [τράουζερς]
Πιτζάμες [pitzames]	**Pyjamas** [πιτζάμας]

ΤΑ ΓΥΝΑΙΚΕΙΑ / ΑΝΔΡΙΚΑ ΡΟΥΧΑ [ta ginekia / andrika rouha]	**WOMEN'S / MEN'S CLOTHES** [γούμενς / μενς κλόουδζ]
Πουκάμισο [poukamisso]	**Shirt** [σσερτ]
Πουλόβερ [poulover]	**Sweater** [σουέτερ]
Σακάκι [sakaki]	**Jacket** [τζάκετ]
Σουτιέν [soutien]	**Bra** [μπρο]
Ταγιέρ [tagier]	**Costume** [κόστσουμ]
Φανελάκι [fanelaki]	**T-shirt** [τίσσερτ]
Φούστα [fousta]	**Skirt** [σκερτ]
Θα ήθελα να κάνω μερικά ψώνια. [tha ithela na kano merika psonia]	**I'd like to make some shopping.** [άιντ λάικ του μέικ σαμ σσόπιν]
Θα ήθελα να αγοράσω μερικά ρούχα. [tha ithela na agorasso merika rouha]	**I'd like to buy some clothes.** [άιντ λάικ του μπάι σαμ κλόουδζ]
Ποιο κατάστημα μου προτείνετε; [pio katastima mou protinete]	**Which shop do you recommend?** [γουίτσς σσοπ ντου γιού ρικομέννт]
Πηγαίνετε στου ... Έχει καλής ποιότητας ρούχα και φθηνά. [pigenete stou ... ehi kalis piotitas rouha ke fthina]	**Go to ... It has cheap and good quality clothes.** [γκόου του ... ιτ χαζ τσσιπ εννт γκουντ κουόλιτι κλόουδζ]

ΤΑ ΓΥΝΑΙΚΕΙΑ / ΑΝΔΡΙΚΑ ΡΟΥΧΑ [ta ginekia / andrika rouha]	**WOMEN'S / MEN'S CLOTHES** [γούμενς / μενς κλόουδζ]
Θα ήθελα ένα φουστάνι / φόρεμα ... [tha ithela ena foustani / forema]	**I'd like a(n) ... dress.** [άιντ λάικ ε(ν) ... ντρες]
- **μακρύ / κοντό.** - [makri / koddo]	- **long / short** - [λονγκ / σσορτ]
- **μακρυμάνικο.** - [makrimaniko]	- **long-sleeved** - [λονγκ σλιβντ]
- **κοντομάνικο.** - [koddomaniko]	- **short-sleeved** - [σσορτ σλιβντ]
- **πρόχειρο.** - [prohiro]	- **everyday** - [έβριντεϊ]
- **βραδινό.** - [vradino]	- **night** - [νάιτ]
- **καλοκαιρινό.** - [kalokerino]	- **summer** - [σάμερ]
- **χειμωνιάτικο.** - [himoniatiko]	- **winter** - [γουίν'τερ]
Έχετε κάτι να μου προτείνετε / δείξετε; [ehete kati na mou protinete / dixete]	**Have you got anuthing to show me?** [χαβ γιού γκοτ ένιθιν του σσόου μι]
Μπορώ να ρίξω μια ματιά; [boro na rixo mia matia]	**Can I have a look?** [καν άι χαβ ε λουκ]
Θα ήθελα ... [tha ithela]	**I'd like ...** [άιντ λάικ]
Έχετε ...; [ehete]	**Have you got ...?** [χαβ γιού γκοτ]

ΤΑ ΓΥΝΑΙΚΕΙΑ / ΑΝΔΡΙΚΑ ΡΟΥΧΑ [ta ginekia / andrika rouha]	**WOMEN'S / MEN'S CLOTHES** [γούμενς / μενς κλόουδζ]
Σε τι χρώματα υπάρχει; [se ti hromata iparhi]	**What colours have you got?** [γουότ κάλαρς χαβ γιού γκοτ]
Υπάρχει σε ... [iparhi se]	**We've got it in ...** [γουίβ γκοτ ιτ ιν]
- **άσπρο (χρώμα).** - [aspro (hroma)]	- **white.** - [γουάιτ]
- **γκρι (χρώμα).** - [ggri (hroma)]	- **grey.** - [γκρέι]
- **καφέ (χρώμα).** - [kafe (hroma)]	- **brown.** - [μπράουν]
- **κίτρινο (χρώμα).** - [kitrino (hroma)]	- **yellow.** - [γιέλλοου]
- **κόκκινο (χρώμα).** - [kokino (hroma)]	- **red.** - [ρεντ]
- **μαύρο (χρώμα).** - [mavro (hroma)]	- **black.** - [μπλακ]
- **μπλε (χρώμα).** - [ble (hroma)]	- **blue.** - [μπλου]
- **πράσινο (χρώμα).** - [prassino (hroma)]	- **green.** - [γκριν]
Τι μέγεθος είναι; [ti megethos ine]	**What size is it?** [γουότ σάιζ ιζ ιτ]
Ποιο είναι το νούμερό σας; [pio ine to noumero sas]	**What's your size?** [γουότς γιόρ σάιζ]
Τι νούμερο φοράτε; [ti noumero forate]	**What size are you?** [γουότ σάιζ αρ γιού]
Το νούμερό μου είναι ... [to noumero mou ine]	**My size is ...** [μάι σάιζ ιζ]

ΤΑ ΓΥΝΑΙΚΕΙΑ / ΑΝΔΡΙΚΑ ΡΟΥΧΑ [ta ginekia / andrika rouha]	**WOMEN'S / MEN'S CLOTHES** [γούμενς / μενς κλόουδζ]
Θα ήθελα να το δοκιμάσω. [tha ithela na to dokimasso]	**I'd like to try it on.** [άιντ λάικ του τράι ιτ ον]
Πού είναι το δοκιμαστήριο; [pou ine to dokimastirio]	**Where's the clothes-cubicle?** [γουέαρζ δε κλόουδζ κιούμπικλ]
Πού έχει έναν καθρέφτη; [pou ehi enan kathrefti]	**Where have you got a mirror?** [γουέαρ χαβ γιού γκοτ ε μίρορ]
(Δε) Μου κάνει. [(de) mou kani]	**It fits (doesn't fit) me.** [ιτ φιτς (νταζν'τ φιτ) μι]
(Δε) Μου πάει. [(de) mou pai]	**It suits (doesn't suit) me.** [ιτ σουτς (νταζν'τ σουτ) μι]
Σας πάει! [sas pai]	**It suits you!** [ιτ σουτς γιού]
Σας ταιριάζει! [sas teriazi]	**It suits you!** [ιτ σουτς γιού]
Σας πηγαίνει! [sas pigeni]	**It suits you!** [ιτ σουτς γιού]
Δεν είναι το νούμερό μου. Είναι ... [den ine to noumero mou. ine]	**It's not my size. It's ...** [ιτς νοτ μάι σάιζ. ιτς]
- **φαρδύ / στενό.** - [fardi / steno]	- **large / tight.** - [λαρτζ / τάιτ]
- **κοντό / μακρύ.** - [koddo / makri]	- **short / long.** - [σσορτ / λονγκ]

ΤΑ ΓΥΝΑΙΚΕΙΑ / ΑΝΔΡΙΚΑ ΡΟΥΧΑ [ta ginekia / andrika rouha]	**WOMEN'S / MEN'S CLOTHES** [γούμενς / μενς κλόουδζ]
Μπορείτε να το ... [borite na to]	**Can you ...** [καν γιού]
- **κοντύνετε;** - [koddinete]	- **shorten it?** - [σσόρτεν ιτ]
- **μακρύνετε;** - [makrinete]	- **lengthen it?** - [λένγκθεν ιτ]
- **στενέψετε;** - [stenepsete]	- **tighten it?** - [τάιτεν ιτ]
- **φαρδύνετε;** - [fardinete]	- **let it out?** - [λετ ιτ άουτ]
Πόσο θα στοιχίσει η επιδιόρθωση; [posso tha stihissi i epidiorthossi]	**How much will mending cost?** [χάου ματσς γουίλ μέννтιν κοστ]
Πότε θα είναι έτοιμο; [pote tha ine etimo]	**When will it be ready?** [γουέν γουίλ ιτ μπι ρέντι]
Πώς καθαρίζεται; [pos katharizete]	**How shall I clean it?** [χάου σσαλ άι κλιν ιτ]
Μαζεύει στο πλύσιμο; [mazevi sto plissimo]	**Does it shrink?** [νταζ ιτ σσρινκ]
Ξεβάφει στο πλύσιμο; [xevafi sto plissimo]	**Does the colour come out?** [νταζ δε κάλαρ καμ άουτ]
Τι ποιότητα είναι; [ti piotita ine]	**What kind of material is it?** [γουότ κάινντ οβ ματίριαλ ιζ ιτ]
Είναι ... [ine]	**It's ...** [ιτς]
- **βαμβακερό.** - [vamvakero]	- **cotton.** - [κότον]
- **βελούδινο.** - [veloudino]	- **velvet.** - [βέλβετ]

ΤΑ ΓΥΝΑΙΚΕΙΑ / ΑΝΔΡΙΚΑ ΡΟΥΧΑ [ta ginekia / andrika rouha]	**WOMEN'S / MEN'S CLOTHES** [γούμενς / μενς κλόουδζ]
- **λινό.** - [lino]	- **linen.** - [λίνεν]
- **μάλλινο.** - [malino]	- **woolen.** - [γούλεν]
- **συνθετικό.** - [sinthetiko]	- **synthetic.** - [σινθέτικ]
- **μεταξωτό.** - [metaxoto]	- **silk.** - [σιλκ]
Αυτό το ύφασμα δεν τσαλακώνει. [afto to ifasma den tsalakoni]	**This material doesn't wrinkle.** [δις ματίριαλ νταζν'τ ρινκλ]
Αυτό το ύφασμα δε χρειάζεται σιδέρωμα. [afto to ifasma den hriazete sideroma]	**This material doesn't need ironing.** [δις ματίριαλ νταζν'τ νιντ άιρονιν]
Δεν είναι πια στη μόδα. [den ine pia sti moda]	**It's out of fashion.** [ιτς άουτ οβ φασσν]
Είναι στη μόδα. [ine sti moda]	**It's in fashion.** [ιτς ιν φασσν]
Δε μου αρέσει ... [de mou aressi]	**I don't like ...** [άι ντον'τ λάικ]
- **αυτό το χρώμα.** - [afto to hroma]	- **this colour.** - [δις κάλαρ]
- **αυτή η ποιότητα.** - [afti i piotita]	- **this material.** - [δις ματίριαλ]
- **αυτό το σχέδιο.** - [afto to shedio]	- **this design.** - [δις ντιζάιν]
Θα πάρω αυτό / αυτά. [tha paro afto / afta]	**I'll take this / these.** [άιλ τέικ δις / διζ]

ΤΑ ΓΥΝΑΙΚΕΙΑ / ΑΝΔΡΙΚΑ ΡΟΥΧΑ [ta ginekia / andrika rouha]	**WOMEN'S / MEN'S CLOTHES** [γούμενς / μενς κλόουδζ]
Πόσο έχουν; [posso ehoun]	**How much do they cost?** [χαόυ ματς ντου δέι κοστ]
Είναι πολύ ακριβό. [ine poli akrivo]	**It's very expensive.** [ιτς βέρι εξπένσιβ]
Έχετε κάτι πιο φτηνό; [ehete kati pio fthino]	**Have you got anyhting cheaper?** [χαβ γιού γκοτ ένιθιν τσσίπερ]
Μπορείτε να μου κάνετε καλύτερη τιμή; [borite na mou kanete kaliteri timi]	**Can you take something off the price?** [καν γιού τέικ σάμθιν οφ δε πράις]

ΤΑ ΠΑΠΟΥΤΣΙΑ [ta papoutsia]	**THE SHOES** [δε σσουζ]
Παπούτσια ανδρικά. [papoutsia andrika]	**Men's shoes.** [μενς σσουζ]
Παπούτσια γυναικεία. [papoutsia ginekia]	**Women's shoes.** [γούμενς σσουζ]
Παπούτσια παιδικά. [papoutsia pedika]	**Children's shoes.** [τσσίλντρενς σσουζ]
Παπούτσια αθλητικά. [papoutsia athlitika]	**Trainers.** [τρέινερς]
Παπούτσια δερμάτινα. [papoutsia dermatina]	**Leather shoes.** [λέδερ σσουζ]
Παπούτσια καλοκαιρινά. [papoutsia kalokerina]	**Summer shoes.** [σάμερ σσουζ]
Παπούτσια χειμωνιάτικα. [papoutsia himoniatika]	**Winter shoes.** [γουίν'τερ σσουζ]
Παπούτσια με ψηλό / χαμηλό τακούνι. [papoutsia me psilo / hamilo takouni]	**High-heeled / low-heeled shoes.** [χάι χιλντ / λόου χιλντ σσουζ]
Κορδόνια. [kordonia]	**Shoe-laces.** [σσου λέισιζ]
Θα ήθελα να αγοράσω ένα ζευγάρι ... [tha ithela na agorasso ena zevgari]	**I'd like to buy a pair of ...** [άιντ λάικ του μπάι ε πέαρ οβ]
- **παντόφλες.** - [paddofles]	- **slippers.** - [σλίπερς]
- **μπότες.** - [botes]	- **boots.** - [μπουτς]
- **σαντάλια.** - [saddalia]	- **sandals.** - [σάννταλς]

ΤΑ ΠΑΠΟΥΤΣΙΑ [ta papoutsia]	**THE SHOES** [δε σσουζ]
Τι νούμερο θέλετε; [ti noumero thelete]	**What size would you like?** [γουότ σάιζ γουντ γιού λάικ]
Αυτό το παπούτσι είναι ... [afto to papoutsi ine]	**This shoe is ...** [δις σσου ιζ]
- **λίγο στενό.** - [ligo steno]	- **a little tight.** - [ε λιτλ τάιτ]
- **λίγο φαρδύ.** - [ligo fardi]	- **a little large.** - [ε λιτλ λαρτζ]
- **μικρό.** - [mikro]	- **small.** - [σμολ]
- **μεγάλο.** - [megalo]	- **big.** - [μπιγκ]
Με σφίγγει στα δάχτυλα. [me sfiggi sta dahtila]	**It's very tight around the toes.** [ιτς βέρι τάιτ αράουννт δε τόουζ]
Θα ανοίξουν λίγο αν τα φορέσετε. [tha anixoun ligo an ta foressete]	**They'll stretch a little when you put them on.** [δέιλ στρετσς ε λιτλ γουέν γιού πουτ δεμ ον]
Θα σας δώσω ένα μεγαλύτερο νούμερο. [tha sas dosso ena megalitero noumero]	**I'll give you a bigger size.** [άιλ γκιβ γιού ε μπίγκερ σάιζ]
Δυστυχώς, αυτό το νούμερο έχει τελειώσει. [distihos afto to noumero ehi teliossi]	**Unfortunately, this size is off.** [ανφόρτσουνετλι, δις σάιζ ιζ οφ]

ΤΑ ΟΙΚΙΑΚΑ ΣΚΕΥΗ [ta ikiaka skevi]	**HOUSE(HOLD) APPLIANCES** [χάουζ(χολντ) απλάιανσις]
Αλατιέρα [alatiera]	**Salt-castor** [σολτ κάστορ]
Ανεμιστήρας [anemistiras]	**Fan** [φαν]
Δίσκος σερβιρίσματος [diskos servirismatos]	**Tray** [τρέι]
Δίσκος μουσικής [diskos moussikis]	**Record** [ρέκορντ]
Ζαχαριέρα [zahariera]	**Sugar pot** [σσούγκαρ ποτ]
Ηλεκτρική σκούπα [ilektriki skoupa]	**Vacuum cleaner** [βάκιουμ κλίνερ]
Καλώδιο / Κανάτα [kalodio / kanata]	**Cable / Jug** [κέιμπλ / τζαγκ]
Κασέτα [kasseta]	**Cassette** [κασέτ]
Κασετόφωνο [kassetofono]	**Cassette recorder** [κασέτ ρικόρντερ]
Κατσαρόλα [katsarola]	**Pot** [ποτ]
Καφετιέρα [kafetiera]	**Percolator** [περκολέιτορ]
Κομπιούτερ [kobiouter]	**Computer** [κομ'πιούτερ]
Κουζίνα ηλεκτρική [kouzina ilektriki]	**Electric kitchen** [ελέκτρικ κίτσσεν]
Κουζίνα γκαζιού [kouzina ggaziou]	**Stove** [στόουβ]

ΤΑ ΟΙΚΙΑΚΑ ΣΚΕΥΗ [ta ikiaka skevi]	**HOUSE(HOLD) APPLIANCES** [χάουζ(χολντ) απλάιανσις]
Κουτάλα / Κουτάλι [koutala / koutali]	**Scoop / Spoon** [σκουπ / σπουν]
Κουταλάκι (γλυκού) [koutalaki (glikou)]	**Tea spoon** [τίσπουν]
Λάμπα [laba]	**Lamp** [λαμ'π]
Μαχαίρι / Πιρούνι [maheri / pirouni]	**Knife / Fork** [νάιφ / φορκ]
Μίξερ [mixer]	**Mixer** [μίξερ]
Μπουκάλι / Μπρίκι [boukali / briki]	**Bottle / Coffee-pot** [μποτλ / κόφι ποτ]
Πιατάκι γλυκού [piataki glikou]	**Dessert plate** [ντεζέρτ πλέιτ]
Πιατάκι καφέ [piataki kafe]	**Saucer** [σόσερ]
Πιάτο [piato]	**Plate (dish)** [πλέιτ (ντισς)]
Πλυντήριο ρούχων [pliddirio rouhon]	**Washing machine** [γουόσσιν μασσίν]
Πλυντήριο πιάτων [pliddirio piaton]	**Dishwasher** [ντίσσγουοσσερ]
Ποτήρι νερού [potiri nerou]	**Water glass** [γουότερ γκλας]
Ποτήρι κρασιού [potiri krassiou]	**Wine glass** [γουάιν γκλας]
Ραδιόφωνο [radiofono]	**Radio** [ρέιντιο]

ΤΑ ΟΙΚΙΑΚΑ ΣΚΕΥΗ [ta ikiaka skevi]	**HOUSE(HOLD) APPLIANCES** [χάουζ(χολντ) απλάιανσις]
Σίδερο / Σκούπα [sidero / skoupa]	**Iron / Broom** [άιρον / μπρουμ]
Σιδερώστρα [siderostra]	**Ironing press** [άιρονιν πρες]
Σφουγγαράκι [sfouggaraki]	**Dish-sponge** [ντισς σποντζ]
Τηγάνι [tigani]	**Pan** [παν]
Τηλεόραση [tileorassi]	**Television** [τελεβίζν]
Τηλέφωνο [tilefono]	**Phone** [φόουν]
Τσαγιέρα [tsagiera]	**Teapot** [τίποτ]
Φλιτζάνι [flitzani]	**Cup** [καπ]
Φούρνος / Ψυγείο [fournos / psigio]	**Oven / Refreigerator (fridge)** [όουβεν / ρεφριτζιρέιτορ (φριτζ)]
Φούρνος μικροκυμάτων [fournos mikrokimaton]	**Microwave oven** [μάικρογουεϊβ όουβεν]

ΤΑ ΕΠΙΠΛΑ [ta epipla]	**THE FURNITURE** [δε φέρνιτσουρ]
Βιβλιοθήκη [vivliothiki]	**Book-case** [μπούκ κέις]
Γραφείο [grafio]	**Desk** [ντεσκ]
Καθιστικό [kathistiko]	**Sitting-room set** [σίτιν ρουμ σετ]
Καθρέφτης [kathreftis]	**Mirror** [μίρορ]
Καναπές διθέσιος. [kanapes dithessios]	**Two-seater couch.** [του σίτερ κάουτσ]
Καναπές τριθέσιος. [kanapes trithessios]	**Three-seater couch.** [θρι σίτερ κάουτσ]
Καρέκλα [karekla]	**Chair** [τσσέαρ]
Κομοδίνο [komodino]	**Bedside table** [μπέντσαϊντ τέιμπλ]
Κρεβάτι [krevati]	**Bed** [μπεντ]
Κρεβατοκάμαρα [krevatokamara]	**Bedroom-set** [μπέντρουμ σετ]
Κρεμάστρα [kremastra]	**(Clothes) hanger** [(κλόουδζ) χάνγκερ]
Λεκάνη [lekani]	**Toilet** [τόιλετ]
Μπανιέρα [baniera]	**Bath** [μπαθ]
Νεροχύτης [nerohitis]	**Sink** [σινκ]
Νιπτήρας [niptiras]	**Wash-basin** [γουόσς μπέιζιν]

ΤΑ ΕΠΙΠΛΑ [ta epipla]	**THE FURNITURE** [δε φέρνιτσουρ]
Ντουλάπα [ddoulapa]	**Wardrobe** [γουόρντροουμπ]
Ντουλάπι [ddoulapi]	**Closet** [κλόζετ]
Παπουτσοθήκη [papoutsothiki]	**Shoe-case** [σσου κέις]
Πολυθρόνα [polithrona]	**Armchair** [άρμτσσεαρ]
Ράφια [rafia]	**Shelves** [σσελβς]
Σύνθετο [sintheto]	**Unit furniture** [γιούνιτ φέρνιτσσερ]
Τουαλέτα [toualeta]	**Dressing table** [ντρέσιν τέιμπλ]
Τραπεζάκι [trapezaki]	**Coffee table** [κόφι τέιμπλ]
Τραπεζαρία [trapezaria]	**Dining-table** [ντάινιν τέιμπλ]
Τραπέζι [trapezi]	**Table** [τέιμπλ]

ΤΑ ΚΑΛΛΥΝΤΙΚΑ – ΤΑ ΕΙΔΗ ΥΓΙΕΙΝΗΣ [ta kaliddika – ta idi igiinis]	**THE COSMETICS – THE SANITARY ARTICLES** [δε κòζμέτικς – δε σάνιτερι άρτικλς]
Απορρυπαντικό [aporipaddiko]	**Detergent** [ντιτέρτζεν'τ]
Αποσμητικό [aposmitiko]	**Deodorant** [ντιόντοραν'τ]
Άρωμα [aroma]	**Perfume** [περφιούμ]
Αφρόλουτρο [afroloutro]	**Bath-foam** [μπαθ φόουμ]
Βαφή μαλλιών. [vafi malion]	**Hair-dyeing.** [χέαρ ντάιν]
Δέρμα ξηρό / λιπαρό. [derma xiro / liparo]	**Dry / oily skin.** [ντράι / όιλι σκιν]
Κουβάς [kouvas]	**Bucket** [μπάκετ]
Κρέμα δέρματος. [krema dermatos]	**Skin cream.** [σκιν κριμ]
Κρέμα νύχτας. [krema nihtas]	**Night cream.** [νάιτ κριμ]
Κρέμα ξυρίσματος. [krema xirismatos]	**Shaving cream.** [σσέιβιν κριμ]
Κρέμα προσώπου. [krema prossopou]	**Face cream.** [φέις κριμ]
Λεπίδα ξυρίσματος. [lepida xirismatos]	**Razor blade.** [ρέιζορ μπλέιντ]
Λίμα (νυχιών). [lima (nihion)]	**Nail-file** [νέιλ φάιλ]

ΤΑ ΚΑΛΛΥΝΤΙΚΑ – ΤΑ ΕΙΔΗ ΥΓΙΕΙΝΗΣ [ta kaliddika – ta idi igiinis]	**THE COSMETICS – THE SANITARY ARTICLES** [δε κοζμέτικς – δε σάνιτερι άρτικλς]
Μάσκαρα [maskara]	**Mascara** [μασκάρα]
Μολύβι ματιών. [molivi mation]	**Eyes' pencil.** [άιζ πένσιλ]
Μολύβι χειλιών. [molivi hilion]	**Lips' pencil.** [λιπς πένσιλ]
Νυχοκόπτης [nihokoptis]	**Nail-clippers** [νέιλ κλίπερς]
Ξυραφάκι [xirafaki]	**Blade** [μπλέιντ]
Ξυριστική μηχανή. [xiristiki mihani]	**Shaving machine.** [σσέιβιν μασσίν]
Οδοντόβουρτσα [ododdovourtsa]	**Toothbrush** [τούθμπρασς]
Οδοντόκρεμα [ododdokrema]	**Toothpaste** [τούθπειστ]
Πετσέτα μπάνιου. [petseta baniou]	**Bath towel.** [μπαθ τάουελ]
Πετσέτα προσώπου. [petseta prossopou]	**Face towel.** [φέις τάουελ]
Σαμπουάν / Σαπούνι [sampouan / sapouni]	**Shampoo / Soap** [σσαμ'πού / σόουπ]
Σερβιέτες / Σκούπα [servietes / skoupa]	**Sanitary towels / Broom** [σάνιτερι τάουελς / μπρουμ]
Σκιά ματιών. [skia mation]	**Eye-shadow** [άι σσάντοου]

ΤΑ ΚΑΛΛΥΝΤΙΚΑ – ΤΑ ΕΙΔΗ ΥΓΙΕΙΝΗΣ [ta kaliddika – ta idi igiinis]	**THE COSMETICS – THE SANITARY ARTICLES** [δε κοζμέτικς – δε σάνιτερι άρτικλς]
Σφουγγάρι (μπάνιου). [sfouggari (baniou)]	**Bath-sponge** [μπαθ σποντζ]
Σφουγγαρίστρα [sfouggaristra]	**Mop** [μοπ]
Φαράσι / Χτένα [farassi / htena]	**Dustpan / Comb** [ντάσπαν / κομμπ]
Χαρτί υγείας. [harti igias]	**Toilet paper.** [τόιλετ πέιπερ]
Χαρτοπετσέτες [hartopetsetes]	**Paper napkins** [πέιπερ νάπκινς]
Τι κολόνιες / κρέμες έχετε; [ti kolonies / kremes ehete]	**What perfumes / creams have you got?** [γουότ περφιούμς / κριμς χαβ γιού γκοτ]
Θα ήθελα ... [tha ithela]	**I'd like ...** [άιντ λάικ]
- **ένα ρουζ.** - [ena rouz]	- **a blusher.** - [ε μπλάσσερ]
- **ένα κραγιόν.** - [ena kragion]	- **a lipstick.** - [ε λίπστικ]
- **κάτι πιο ανοιχτόχρωμο / σκουρόχρωμο.** - [kati pio anihtohromo / skourohromo]	- **something lighter / darker.** - [σάμθιν λάιτερ / ντάρκερ]
- **μια κρέμα για ξηρό / λιπαρό δέρμα.** - [mia krema gia xiro / liparo derma]	- **a cream for dry / oily skin.** - [ε κριμ φορ ντράι / όιλι σκιν]

ΤΟ ΚΟΣΜΗΜΑΤΟΠΩΛΕΙΟ [to kosmimatopolio]	**THE JEWELLERY SHOP** [δε τζούελρι σσοπ]
Διαμάντι [diamaddi]	**Diamond** [ντάιαμοννt]
Ζαφείρι [zafiri]	**Sapphire** [σσάπφαϊαρ]
Καρφίτσα [karfitsa]	**Brooch** [μπρουτσς]
Μαργαριτάρι [margaritari]	**Pearl** [περλ]
Ρουμπίνι [roubini]	**Ruby** [ράμπι]
Σκουλαρίκια [skoularikia]	**Earrings** [ίαρινγκς]
Σμαράγδι [smaragdi]	**Emerald** [έμεραλντ]
Θα θέλαμε να αγοράσουμε ένα δαχτυλίδι αρραβώνα. [tha thelame na agorassoume ena dahtilidi aravona]	**We'd like to buy an engagement ring.** [γουίντ λάικ του μπάι εν ενγκέιτζμεν'τ ρινγκ]
Έχετε κάτι να μας δείξετε; [ehete kati na mas dixete]	**Can you show us something?** [καν γιού σσόου ας σάμθιν]
Από τι είναι φτιαγμένο αυτό το βραχιόλι; [apo ti ine ftiagmeno afto to vrahioli]	**What is this bracelet made of?** [γουότ ιζ δις μπρέισλετ μέιντ οβ]
Είναι ... [ine]	**It's ...** [ιτς]
- **από χρυσό.** - [apo hrisso]	- **(made of) gold.** - [(μέιντ οβ) γκολντ]

ΤΟ ΚΟΣΜΗΜΑΤΟΠΩΛΕΙΟ [to kosmimatopolio]	**THE JEWELLERY SHOP** [δε τζούελρι σσοπ]
- **από ασήμι.** - [apo assimi]	- **(made of) silver.** - [(μέιντ οβ) σίλβερ]
- **επίχρυσο.** - [epihrisso]	- **gold-plated.** - [γκολντ πλέιτεντ]
- **επάργυρο.** - [epargiro]	- **silver-plated.** - [σίλβερ πλέιτεντ]
- **από πλατίνα.** - [apo platina]	- **(made of) platinum.** - [(μέιντ οβ) πλάτινουμ]
Πόσο κάνει αυτό το ... [posso kani afto to]	**How much is this ...** [χάου ματς ιζ δις]
- **κολιέ;** - [kolie]	- **necklace?** - [νέκλες]
- **βραχιόλι;** - [vrahioli]	- **bracelet?** - [μπρέισλετ]
- **ρολόι;** - [roloi]	- **watch?** - [γουότς]
Πόσα καράτια είναι; [possa karatia ine]	**How many carats is it?** [χάου μένι κάρατς ιζ ιτ]
Θα ήθελα να μου κοντύνετε / μακρύνετε αυτή την αλυσίδα. [tha ithela na mou koddinete / makrinete afti tin alissida]	**I'd like this chain shortened / lengthened.** [άιντ λάικ δις τσσέιν σσόρτεννт / λένγκθεννт]

ΤΟ ΦΩΤΟΓΡΑΦΕΙΟ [to fotografio]	**THE PHOTOGRAPHER'S** [δε φοτόγκραφερς]
Άλμπουμ [alboum]	**Album** [άλμπουμ]
Διάφραγμα [diafragma]	**Shutter** [σσάτερ]
Μπαταρία [bataria]	**Battery** [μπάτερι]
Τρίποδο [tripodo]	**Tripod** [τρίποουντ]
Φακός [fakos]	**Lense** [λενς]
Φίλτρο [filtro]	**Filter** [φίλτερ]
Φιλμ έγχρωμο. [film eghromo]	**Colour film.** [κάλαρ φιλμ]
Φιλμ ασπρόμαυρο. [film aspromavro]	**Black and white film.** [μπλακ εννт γουάιτ φιλμ]
Φιλμ 36άρι. [film triaddaexari]	**36 exposures film.** [θέρτι σιξ εξπόζουρς φιλμ]
Φιλμ 24άρι. [film ikostessari]	**24 exposures film.** [τουέν'τι φορ εξπόζουρς φιλμ]
Φιλμ 12άρι. [film dodekari]	**12 exposures film.** [τουέλβ εξπόζουρς φιλμ]
Φλας [flas]	**Flashlight** [φλάσσλαιτ]
Φωτογραφική μηχανή [forografiki mihani]	**Camera** [κάμερα]
Βίντεο / Κάμερα [viddeo / kamera]	**Video / Video camera** [βίντιο / βίντιο κάμερα]

ΤΟ ΦΩΤΟΓΡΑΦΕΙΟ [to fotografio]	**THE PHOTOGRAPHER'S** [δε φοτόγκραφερς]
Έχω αυτό το φιλμ για εμφάνιση. [eho afto to film gia emfanissi]	**I want this film developed.** [άι γουόν'τ δις φιλμ ντιβέλοπντ]
Μπορείτε να εμφανίσετε αυτό το φιλμ; [borite na emfanissete afto to film]	**Can you develop this film?** [καν γιού ντιβέλοπ δις φιλμ]
Πότε θα είναι έτοιμο; [pote tha ine etimo]	**When will it be ready?** [γουέν γουίλ ιτ μπι ρέντι]
Πόσο στοιχίζει ... [posso stihizi]	**How much is ...** [χάου ματς ιζ]
- **η εμφάνιση;** - [i emfanissi]	- **the development?** - [δε ντιβέλοπμεν'τ]
- **η φωτογραφία;** - [i fotografia]	- **per photograph?** - [περ φότογκραφ]
- **η μεγέθυνση;** - [i megethinsi]	- **the blow-up?** - [δε μπλόου απ]
Θα ήθελα ένα φιλμ γι' αυτή τη μηχανή. [tha ithela ena film giafti ti mihani]	**I'd like a film for this camera.** [άιντ λάικ ε φιλμ φορ δις κάμερα]
Έχετε φιλμ γι' αυτού του είδους την κάμερα; [ehete film giaftou tou idous tin kamera]	**Have you got a film for this camera?** [χαβ γιού γκοτ ε φιλμ φορ δις κάμερα]

ΣΤΟ ΠΕΡΙΠΤΕΡΟ [sto periptero]	**AT THE KIOSK** [ατ δε κιόσκ]
Αναπτήρας [anaptiras]	**Lighter** [λάιτερ]
Καπνός [kapnos]	**Tobacco** [τομπέικο]
Πούρο [pouro]	**Cigar** [σιγκάρ]
Θα ήθελα ένα πακέτο τσιγάρα. [tha ithela ena paketo tsigara]	**I'd like a packet of cigarettes.** [άιντ λάικ ε πάκετ οβ σίγκαρετς]
Τι μάρκα; [ti marka]	**What brand?** [γουότ μπράννντ]
Κάμελ ... [kamel]	**A Camel ...** [ε κάμελ]
- **μαλακό.** - [malako]	- **soft pack.** - [σοφτ πακ]
- **σκληρό.** - [skliro]	- **hard pack.** - [χαρντ πακ]
- **ελαφρύ.** - [elafri]	- **lights.** - [λάιτς]
- **με / χωρίς φίλτρο.** - [me / horis filtro]	- **with / without filter.** - [γουίδ / γουιδάουτ φίλτερ]
Εφημερίδα [efimerida]	**(News) paper** [(νιούζ) πέιπερ]
Εφημερίδα πρωινή. [efimerida proini]	**A morning paper.** [ε μόρνιν πέιπερ]
Εφημερίδα απογευματινή. [efimerida apogevmatini]	**An evening paper.** [εν ίβνιν πέιπερ]
Εφημερίδα καθημερινή. [efimerida kathimerini]	**A daily paper.** [ε ντέιλι πέιπερ]

ΣΤΟ ΠΕΡΙΠΤΕΡΟ [sto periptero]	**AT THE KIOSK** [ατ δε κιόσκ]
Εφημερίδα ημερήσια. [efimerida imerissia]	**A daily paper.** [ε ντέιλι πέιπερ]
Εφημερίδα Κυριακάτικη. [efimerida kiriakatiki]	**A Sunday paper.** [ε σάνντεϊ πέιπερ]
Εφημερίδα οικονομική. [efimerida ikonomiki]	**A financial paper.** [ε φαϊνάνσσαλ πέιπερ]
Αναψυκτικά [anapsiktika]	**Refreshments** [ριφρέσσμεν'τς]
Πατατάκια [patatakia]	**Chips** [τσσιπς]
Θα ήθελα ... [tha ithela]	**I'd like ...** [άιντ λάικ]
- **ένα κουτί τσίχλες.** - [ena kouti tsihles]	- **a box of gums.** - [ε μποξ οβ γκαμς]
- **μια σοκολάτα.** - [mia sokolata]	- **a bar of chocolate.** - [ε μπαρ οβ τσσόκλετ]
- **ένα κουτί σπίρτα.** - [ena kouti spirta]	- **a box of matches.** - [ε μποξ οβ μάτσεζ]
- **ένα εισιτήριο για λεωφορείο.** - [ena issitirio gia leoforio]	- **a bus-ticket.** - [ε μπας τίκετ]
- **ένα πακέτο γαριδάκια.** - [ena paketo garidakia]	- **a packet of snacks.** - [ε πάκετ οβ σνακς]
- **μικρές / μεγάλες μπαταρίες.** - [mikres / megales bataries]	- **small / big batteries.** - [σμολ / μπιγκ μπάτεριζ]

ΤΟ ΒΙΒΛΙΟΠΩΛΕΙΟ [to vivliopolio]	**THE BOOKSHOP** [δε μπούκσσοπ]
Βιβλίο ... [vivlio]	**A book of ...** [ε μπουκ οβ]
- **ελληνικής λογοτεχνίας.** - [elinikis logotehnias]	- **Greek literature.** - [γκρικ λίτρατσσουρ]
- **ξένης λογοτεχνίας.** - [xenis logotehnias]	- **foreigh literature.** - [φόρεϊ λίτρατσσουρ]
- **επιστημονικό.** - [epistimoniko]	- **science.** - [σάιενς]
- **τεχνικό.** - [tehniko]	- **technical terms.** - [τέκνικαλ τερμς]
Γόμα [goma]	**Erasor** [ιρέιζορ]
Γραμματική [gramatiki]	**Grammar book** [γκράμαρ μπουκ]
Ημερολόγιο [imerologio]	**Diary** [ντάιαρι]
Καρμπόν [karbon]	**Blotting paper** [μπλότιν πέιπερ]
Κόλλα [kola]	**Glue** [γκλου]
Λεξικό [lexiko]	**Dictionary** [ντίκσονερι]
Μαρκαδόρος [markadoros]	**Marker** [μάρκερ]
Μολύβι [molivi]	**Pencil** [πένσιλ]
Μπλοκ [blok]	**Note book** [νόουτ μπουκ]
Ξύστρα [xistra]	**Sharpener** [σσάρπνερ]

ΤΟ ΒΙΒΛΙΟΠΩΛΕΙΟ [to vivliopolio]	**THE BOOKSHOP** [δε μπούκσσοπ]
Παραμύθια [paramithia]	**Tales** [τέιλς]
Σελοτέιπ [seloteip]	**Adhesive-tape** [αντέσιβ τέιπ]
Στυλό [stilo]	**Pen** [πεν]
Τετράδιο [tetradio]	**Copybook** [κόπιμπουκ]
Φάκελος [fakelos]	**Envelope** [ένβελοουπ]
Χάρακας [harakas]	**Ruler** [ρούλερ]
Χαρτί [harti]	**Paper** [πέιπερ]
Θα ήθελα να αγοράσω ένα μυθιστόρημα παρακαλώ. [tha ithela na agorasso ena mithistorima parakalo]	**I'd like to buy a novel please.** [άιντ λάικ του μπάι ε νόβελ πλιζ]
Έχετε κάτι να μου συστήσετε; [ehete kati na mou sistissete]	**Can you recommend something?** [καν γιού ρικομέννт σάμθιν]

Ο ΦΟΥΡΝΟΣ [o fournos]	**THE BAKERY** [δε μπέικερι]
Αλεύρι [alevri]	**Flour** [φλάουερ]
Κρουασάν [krouassan]	**Croissant** [κρόισαν'τ]
Μηλόπιτα [milopita]	**Apple-pie** [άπλ πάι]
Τσουρέκι [tsoureki]	**Bun** [μπαν]
Υπάρχει ένας φούρνος εδώ κοντά; [iparhi enas fournos edo kodda]	**Is there a bakery around here?** [ιζ δέαρ ε μπέικερι αράουνντ χίαρ]
Θα ήθελα ... [tha ithela]	**I'd like ...** [άιντ λάικ]
- **ένα κιλό ψωμί, παρακαλώ.** - [ena kilo psomi parakalo]	- **a kilo of bread, please.** - [ε κίλο οβ μπρέντ πλιζ]
- **μια φραντζόλα.** - [mia fratzola]	- **a loaf of bread.** - [ε λόουφ οβ μπρεντ]
- **μισό κιλό κουλούρια.** - [misso kilo koulouria]	- **half a kilo of rolls.** - [χαφ ε κίλο οβ ρολς]
- **λίγο μαγιά.** - [ligo magia]	- **some barm.** - [σαμ μπαρμ]